Marguerite Yourcenar

de l'Académie française

Feux

Gallimard

Née en 1903 à Bruxelles d'un père français et d'une mère d'origine belge, Marguerite Yourcenar grandit en France, mais c'est surtout à l'étranger qu'elle résidera par la suite : Italie, Suisse, Grèce, puis Amérique où elle a vécu dans l'île de Mount Desert, sur la côte nord-est des États-Unis, jusqu'à sa mort en 1987.

Marguerite Yourcenar a été élue à l'Académie française le 6 mars 1980.

Son œuvre comprend des romans : *Alexis ou le Traité du Vain Combat* (1929), *Le Coup de Grâce* (1939), *Denier du Rêve*, version définitive (1959) ; des poèmes en prose : *Feux* (1936) ; en vers réguliers : *Les charités d'Alcippe* (1956) ; des nouvelles : *Nouvelles Orientales* (1963) ; des essais : *Sous Bénéfice d'Inventaire* (1962), *Le Temps, ce grand sculpteur* (1983), *En pèlerin et en étranger* (1989), des pièces de théâtre et des traductions.

Mémoires d'Hadrien (1951), roman historique d'une vérité étonnante, lui valut une réputation mondiale. *L'Œuvre au Noir* a obtenu à l'unanimité le Prix Femina 1968. *Souvenirs Pieux* (1974), *Archives du Nord* (1977) et *Quoi ? L'Éternité* (1988) forment le triptyque où elle évoque les souvenirs de sa famille et de son enfance.

A Hermès

PRÉFACE

Feux n'est pas à proprement parler un livre de jeunesse : il fut écrit en 1935 *; j'avais trente-deux ans. L'ouvrage, publié en* 1936, *reparut en* 1957 *presque sans changements. Rien non plus n'a été changé au texte de la présente édition.*

Produit d'une crise passionnelle, Feux *se présente comme un recueil de poèmes d'amour, ou, si l'on préfère, comme une série de proses lyriques reliées entre elles par une certaine notion de l'amour. L'ouvrage ne nécessite comme tel aucun commen-*

taire, l'amour total, s'imposant à sa victime à la fois comme une maladie et comme une vocation, étant de tout temps un fait d'expérience et un des thèmes les plus rebattus de la littérature. Tout au plus peut-on rappeler que tout amour vécu, comme celui dont ce livre est sorti, se fait, puis se défait, à l'intérieur d'une situation donnée, à l'aide d'un complexe mélange de sentiments et de circonstances, qui dans un roman formeraient la trame même du récit, et dans un poème constituent le point de départ du chant. Dans Feux, *ces sentiments et ces circonstances s'expriment tantôt directement, mais assez cryptiquement, par des « pensées » détachées, qui furent d'abord pour la plupart des notations de journal intime, tantôt au contraire indirectement, par des narrations empruntées à la légende ou à l'histoire et destinées à servir au poète de supports à travers le temps.*

Les personnages mythiques ou réels qu'évoquent ces récits appartiennent tous à

*la Grèce antique, sauf Marie-Madeleine,
située dans ce monde judéo-syrien où le
christianisme a pris forme, et que les peintres
de la Renaissance et de l'ère baroque, peut-
être en cela plus réalistes qu'on ne l'a cru,
ont toujours aimé peupler de belles archi-
tectures classiques, de belles draperies et
de beaux nus. A des degrés divers, tous ces
récits modernisent le passé ; certains, de
plus, s'inspirent de stages intermédiaires
que ces mythes ou ces légendes ont franchis
avant d'arriver jusqu'à nous, de sorte que
« l'antique » proprement dit n'est souvent
dans* Feux *qu'une première couche peu visible.
Phèdre n'est nullement la Phèdre athénienne ;
c'est l'ardente coupable que nous tenons de
Racine. Achille et Patrocle sont vus moins
d'après Homère que d'après les poètes, les
peintres et les sculpteurs qui s'échelonnent
entre l'antiquité homérique et nous ; ces
deux récits bariolés çà et là des couleurs
du XX*e* siècle débouchent d'ailleurs dans
un monde onirique sans âge. Antigone est*

prise telle quelle au drame grec, mais de tous les récits qui s'égrènent dans Feux, *ce cauchemar de guerre civile et de révolte contre une autorité inique est peut-être le plus chargé d'éléments contemporains ou quasi anticipatoires. L'histoire de Léna s'inspire du peu qu'on sait de la courtisane de ce nom qui participa en 525 avant notre ère au complot d'Harmodius et d'Aristogiton, mais la couleur locale grecque moderne et l'obsession des guerres civiles de notre temps recouvrent presque complètement dans ce récit le tuf du VI*e *siècle. Le monologue de Clytemnestre incorpore à la Mycènes homérique une Grèce rustique du temps du conflit gréco-turc de 1924 ou de l'équipée des Dardanelles. Celui de Phédon sort d'une indication donnée par Diogène Laërce sur l'adolescence de cet élève de Socrate ; l'Athènes noctambule de 1935 s'y superpose à celle de la jeunesse dorée du temps d'Alcibiade. L'histoire de Marie-Madeleine s'étaie sur une tradition mentionnée par la* Légende Dorée *(et* *d'ailleurs rejetée comme inauthentique par l'auteur de ce pieux recueil) qui faisait de la sainte la fiancée de Saint Jean, abandonnée par lui pour suivre Jésus; le Proche-Orient évoqué dans ce récit en marge des Evangiles apocryphes est celui d'avant-hier et de toujours, mais des métaphores ou des doubles-ententes sémantiques y introduisent çà et là d'anachroniques modernismes. L'aventure de Sappho tient à la Grèce par la légende fort controuvée du suicide de la poétesse pour un bel insensible, mais cette Sappho acrobate appartient au monde international du plaisir d'entre-deux-guerres et l'incident du travesti se relie aux comédies shakespeariennes plutôt qu'aux thèmes grecs. Un parti pris très net de surimpression mêle partout dans* Feux *le passé au présent devenu à son tour passé.*

Tout livre porte son millésime et il est bon qu'il le fasse. Ce conditionnement d'un ouvrage par son temps s'accomplit de deux manières : d'une part, par la couleur et l'odeur de l'époque elle-même, dont la vie de son auteur est plus ou moins imprégnée ; de l'autre, surtout quand il s'agit d'un écrivain encore jeune, par le jeu compliqué des influences littéraires et des réactions contre ces mêmes influences, et il n'est pas toujours facile de distinguer les unes des autres ces diverses formes de pénétration. Je décèle aisément dans Phédon ou le vertige *l'influence du voluptueux humanisme de Paul Valéry, voilant ici de sa belle surface une véhémence nullement valéryenne *. La violence cabrée de* Feux *réagit consciemment ou non contre Giraudoux dont la Grèce ingénieuse et parisianisée m'irritait comme tout ce qui nous est à la fois entièrement opposé et très proche ; je vois aujourd'hui que le fond commun d'anti-*

---

* De cet intérêt pour l'œuvre de Valéry, une allusion à "l'admirable Paul" dans le premier groupe de pensées fait preuve. La formule valéryenne dont cette pensée prend le contre-pied se trouve dans *Choses tues*, 1932.

quité mise au goût moderne rendait négli-
geable, sauf au lecteur le plus attentif,
cette profonde dissemblance entre le monde
giraldien si bien installé dans la tradition
française et le monde plus délirant que
j'essayais de peindre. J'aimais au contraire
Cocteau ; j'étais sensible à son génie mys-
tificateur et sorcier ; je lui en voulais pourtant de s'abaisser si souvent aux tours de
passe-passe de l'illusionniste. La franchise
arrogante de la personne qui parle dans
Feux, avec ou sans masque, l'insolente
volonté de ne s'adresser qu'au lecteur déjà
acquis ou conquis, représentent un roidis-
sement contre certains compromis savants
et légers. Le précédent de Cocteau m'a
assurément encouragée à employer le très
ancien procédé du calembour lyrique, que
retrouvaient vers la même époque et un peu
différemment les surréalistes. Je ne crois
pas que je me fusse risquée à ces surcharges
verbales, qui répondent dans Feux à la
surimpression thématique dont j'ai parlé

*plus haut, si des poètes de mon temps,
et pas seulement du passé, ne m'en avaient
donné l'exemple. D'autres similitudes dues
en apparence aux frottements littéraires
contemporains tiennent comme je l'indiquais
tout à l'heure à la vie elle-même.*

*C'est ainsi que la passion du spectacle
sous le triple aspect du ballet, du music-
hall et du film, commune à toute la génération qui vers* 1935 *avait environ trente
ans, explique que dans* Achille ou le
mensonge *le récit typiquement onirique de
la descente de l'escalier de la tour par
Achille et Misandre se soude à la des-
cription d'un exercice de voltige de ce
Barbette quasi ailé, traînant derrière soi
les draperies classiques des victoires, que
je devais revoir plus tard en Floride
déformé par une terrible chute et ensei-
gnant son art aux équilibristes du cirque
Barnum ; ou encore que dans* Phédon
ou le vertige *une danse de cabaret
s'apparente à la danse des astres. Que*

dans Patrocle ou le destin *le duel d'Achille et de l'Amazone soit un ballet baroque revu à travers Diaghileff ou Massine et « mitraillé » par les prises de vues des cinéastes est caractéristique aussi de cette atmosphère de jeux angoissés.* Dans Antigone ou le choix, *par une anticipation qui elle-même est bien d'époque, les pinceaux lumineux suivant sur la scène du livre des évolutions d'un premier sujet sont déjà en passe de devenir les lugubres projecteurs des camps concentrationnaires : cette sensibilisation au danger politique pesant sur le monde a laissé chez certains poètes et romanciers de la seconde avant-guerre d'indéniables traces ; il est naturel que* Feux, *comme tel ou tel autre livre de la même époque, contienne des ombres portées.*

L'analyse poussée plus loin ne donnerait plus sans doute qu'un résidu purement biographique : il n'importe probablement qu'à moi seule que Sappho ou le suicide *soit issu d'un spectacle de variétés à*

Péra, et ait été écrit sur le pont d'un cargo amarré sur le Bosphore, tandis que le gramophone d'un ami grec tournait inlassablement la rengaine populaire américaine : « He goes through the air with the greatest of ease, the daring young man on the flying trapeze »; *il importe aussi fort peu que ces ingrédients se soient mélangés à la légende de l'antique poétesse, au souvenir des travestis de la Renaissance, à un écho des seuls bons vers que je connaisse de ce virtuose-fantaisiste que fut Banville au sujet d'un clown lancé en plein ciel, à un admirable dessin de Degas, et enfin à un certain nombre de silhouettes cosmopolites qui peuplaient en ce temps-là les bars de Constantinople. C'est à ce seul point de vue de l'exégèse uniquement littéraire qu'il vaut peut-être de noter que l'Athènes de* Feux *reste celle où mes promenades matinales au cimetière antique du Céramique, avec ses herbes folles et* ses tombes à l'abandon, étaient orchestrées par le bruit grinçant d'un dépôt de tramways voisin ; où des diseuses de bonne aventure installées dans des bidonvilles vaticinaient sur du marc de café turc ; où un petit groupe de jeunes hommes et de jeunes femmes, dont certains étaient destinés sous peu à la mort subite ou lente, terminaient la longue nuit oisive, tonifiée çà et là de débats sur la guerre civile d'Espagne ou sur les mérites respectifs d'une vedette de cinéma allemande et de sa rivale suédoise, en allant, un peu ivres du vin et de la musique orientale des tavernes, regarder l'aurore se lever sur le Parthénon. Par un effet d'optique sans doute en lui-même fort banal, ces choses et ces êtres qui étaient alors la réalité contemporaine me semblent aujourd'hui plus lointains et plus abolis par le temps que les mythes ou les obscures légendes auxquels je les avais un instant mêlés.

Stylistiquement parlant, Feux *appartient à la manière tendue et ornée qui
fut mienne durant cette période, alter-
nativement avec celle, discrète presque à
l'excès, du récit classique. Egalement éloi-
gnée aujourd'hui de l'une et de l'autre,
j'ai parlé ailleurs de ce qui me semble
encore les vertus de la narration classique à la
française, de son expression abstraite des
passions, du contrôle apparent ou réel auquel elle oblige son auteur. Sans préjuger
des mérites ou des démérites de* Feux, *je
tiens à dire aussi que l'expressionisme
presque outré de ces poèmes continue à
me paraître une forme d'aveu naturel et
nécessaire, un légitime effort pour ne rien
perdre de la complexité d'une émotion ou de
la ferveur de celle-ci. Cette tendance qui
persiste ou renaît à chaque époque dans
toutes les littératures, en dépit des sages
restrictions puristes ou classiques, s'acharne,
peut-être chimériquement, à créer un langage totalement poétique, dont chaque mot*

chargé du maximum de sens révélerait ses valeurs cachées comme sous certains éclairages se révèlent les phosphorescences des pierres. Il s'agit toujours de concrétiser le sentiment ou l'idée dans des formes devenues en elles-mêmes précieuses *(le terme est en soi révélateur), comme ces gemmes qui doivent leur densité et leur éclat aux pressions et aux températures presque insoutenables par lesquelles elles ont passé, ou encore d'obtenir du langage les torsions savantes des ferronneries de la Renaissance, dont les entrelacs compliqués ont d'abord été du fer rouge. Ce qu'on peut dire de pis de ces audaces verbales est que celui qui s'y livre court perpétuellement le risque de l'abus et de l'excès, tout comme l'écrivain voué aux litotes classiques frôle sans cesse le danger de sèche élégance et d'hypocrisie.*

Si le lecteur ne voit souvent que préciosité au mauvais sens du mot dans ce que j'appellerais volontiers l'expressionisme baroque, c'est neuf fois sur dix que le

*poète a cédé en effet au désir d'étonner,
de plaire, ou de déplaire à tout prix ;
c'est parfois aussi que ce même lecteur
est incapable d'aller jusqu'au bout de
l'idée ou de l'émotion que le poète lui
offre, et où il ne voit à tort que métaphores
forcées ou froids concetti. Ce n'est pas
la faute de Shakespeare, mais la nôtre,
si, quand le poète compare son amour
pour le destinataire des* Sonnets *à un
tombeau pavoisé des trophées de ses passions anciennes, nous ne sentons pas flotter
sur nous tous les étendards de l'époque
élizabéthaine. Ce n'est pas la faute de
Racine, mais la nôtre, si le fameux vers
prononcé par Pyrrhus amoureux d'An-
dromaque,* « Brûlé de plus de feux
que je n'en allumai », *ne nous fait
pas voir derrière cet amant désespéré
l'immense embrasement de Troie, et sentir
dans ce qui ne paraît aux gens de goût
qu'une plate équivoque indigne du grand
Racine l'obscur retour sur soi-même de*

*l'homme qui a été impitoyable et com-
mence à savoir ce que c'est que souffrir.
Ce vers où Racine, par un procédé fré-
quent chez lui, ravive la métaphore des
feux de l'amour, déjà usée de son temps,
en lui rendant l'éclat de flammes véri-
tables, nous ramène à la technique du
calembour lyrique, qui fait pour ainsi
dire dessiner au même mot les deux bran-
ches d'une parabole. Si, pour en revenir
à Feux, Phèdre emprunte pour sa descente aux Enfers des rames qui sont à
la fois celles de Charon et celles du métro,
c'est que le flot humain tourbillonnant
aux heures d'affluence dans les corridors
souterrains de nos villes est peut-être pour
nous l'image la plus terrifiante du fleuve
des ombres ; si Thétis est à la fois la
mère et la mer, c'est que cette équivoque,
qui n'a d'ailleurs de sens qu'en français,
fond en un tout le double aspect de Thétis
mère d'Achille et de Thétis divinité des
vagues. Je pourrais multiplier les exem-*

ples, qui dans Feux *valent ce qu'ils
valent. L'important est d'essayer de montrer dans ces jeux (où le sens d'un mot,
en effet,* joue *dans sa monture syntaxique),
non pas une forme délibérée d'afféterie ou
de plaisanterie, mais comme dans le lapsus
freudien et les associations d'idées doubles
et triples du délire et du songe, un réflexe
du poète aux prises avec un thème parti-
culièrement riche pour lui d'émotions ou
de dangers. Dans un ouvrage de moi
plus récent, et le plus éloigné qui soit
de toute recherche de style, à plus forte
raison de tout ébat stylistique, c'est spon-
tanément, sans voir qu'un calembour en
résulterait, que j'ai donné au geôlier de
la prison où agonise le héros du livre le
nom d'Hermann Mohr.*

*J'ai beau dire (ce qui pourtant est
vrai en principe) qu'un recueil de poèmes
sur l'amour ne nécessite pas de commentaires, je sais que j'ai l'air de refuser
l'obstacle en traitant si longuement de*

*caractéristiques stylistiques ou thématiques,
après tout secondaires, et en passant sous
silence l'expérience passionnelle qui inspira
ce livre. Mais, outre que je sens le ridi-
cule de commenter trop longuement* **un**
*ouvrage dont je souhaitais qu'il ne fût
jamais lu, ce n'est pas le lieu d'examiner
si l'amour total pour un être en parti-
culier, avec ce qu'il comporte de risque
pour soi et pour l'autre, d'inévitable duperie,
d'abnégation et d'humilité authentiques,
mais aussi de violence latente et d'exigence
égoïste, mérite ou non la place exaltée
que les poètes lui ont faite. Ce qui semble
évident, c'est que cette notion de l'amour
fou, scandaleux parfois, mais imbu néan-
moins d'une sorte de vertu mystique, ne
peut guère subsister qu'associée à une
forme quelconque de foi en la transcen-
dance, ne fût-ce qu'au sein de la personne
humaine, et qu'une fois privé du support de
valeurs métaphysiques et morales aujourd'hui
dédaignées, peut-être parce que nos prédéces-*

*seurs ont abusé d'elles, l'amour fou cesse vite
d'être autre chose qu'un vain jeu de miroirs
ou qu'une manie triste.* Dans Feux, *où je
croyais ne faire que glorifier un amour très
concret, ou peut-être exorciser celui-ci, l'ido-
lâtrie de l'être aimé s'associe très visiblement
à des passions plus abstraites, mais non
moins intenses, qui prévalent parfois sur
l'obsession sentimentale et charnelle : dans*
Antigone ou le choix, *le choix d'*Antigone
est la justice; *dans* Phédon ou le vertige,
le vertige est celui de la connaissance ;
dans Marie-Madeleine ou le salut,
*le salut est Dieu. Il n'y a pas là subli-
mation, comme le veut une formule déci-
dément malheureuse, et insultante pour
la chair elle-même, mais perception obscure que l'amour pour une personne donnée,
si poignant, n'est souvent qu'un bel accident
passager, moins réel en un sens que des
prédispositions et les choix qui l'antidatent
et qui lui survivront. A travers la fougue
ou la désinvolture inséparables de ce genre*

d'aveux quasi publics, certains passages de Feux *me semblent aujourd'hui contenir des vérités entrevues de bonne heure, mais qu'ensuite toute la vie n'aura pas été de trop pour essayer de retrouver et d'authentifier. Ce bal masqué a été l'une des étapes d'une prise de conscience.*

2 *novembre* 1967

J'espère que ce livre ne sera jamais
lu.

Il y a entre nous mieux qu'un amour:
une complicité.

Absent, ta figure se dilate au point
d'emplir l'univers. Tu passes à l'état
fluide qui est celui des fantômes. Présent, elle se condense ; tu atteins aux
concentrations des métaux les plus
lourds, de l'iridium, du mercure. Je

meurs de ce poids quand il me tombe
sur le cœur.

L'admirable Paul s'est trompé. (Je
parle du grand sophiste et non du
grand prédicateur.) Il existe, pour
toute pensée, pour tout amour, qui,
laissé à soi-même, défaillerait peut-
être, un cordial singulièrement éner-
gique qui est TOUT LE RESTE DU MONDE,
qui s'oppose à lui, et qui ne le vaut pas.

Solitude... Je ne crois pas comme ils
croient, je ne vis pas comme ils vivent,
je n'aime pas comme ils aiment... Je
mourrai comme ils meurent.

L'alcool dégrise. Après quelques gor-
gées de cognac, je ne pense plus à toi.

PHÈDRE
OU LE DÉSESPOIR

Phèdre accomplit tout. Elle abandonne sa mère au taureau, sa sœur à la
solitude : ces formes d'amour ne l'in-
téressent pas. Elle quitte son pays
comme on renonce à ses rêves ; elle
renie sa famille comme on brocante ses
souvenirs. Dans ce milieu où l'innocence est un crime, elle assiste avec
dégoût à ce qu'elle finira par devenir.
Son destin, vu du dehors, lui fait horreur : elle ne le connaît encore que

sous forme d'inscriptions sur la muraille du Labyrinthe : elle s'arrache par la fuite à son affreux futur. Elle épouse distraitement Thésée, comme sainte Marie l'Égyptienne payait avec son corps le prix de son passage ; elle laisse s'enfoncer à l'Ouest dans un brouillard de fable les abattoirs géants de son espèce d'Amérique crétoise. Elle débarque, imprégnée de l'odeur du ranch et des poisons d'Haïti, sans se douter qu'elle porte avec soi la lèpre contractée sous un torride Tropique du cœur. Sa stupeur à la vue d'Hippolyte est celle d'une voyageuse qui se trouve avoir rebroussé chemin sans le savoir : le profil de cet enfant lui rappelle Cnossos, et la hache à deux tranchants. Elle le hait, elle l'élève ; il grandit contre elle, repoussé par sa haine, habitué de tout temps à se méfier des femmes, forcé dès le collège, dès les vacances du jour de l'An, à sauter les obstacles que dresse autour de lui l'inimitié d'une belle-mère. Elle est jalouse de ses flèches, c'est-à-dire de ses victimes, de ses compagnons, c'est-à-dire de sa solitude. Dans cette forêt vierge qui est le lieu d'Hippolyte, elle plante malgré soi les poteaux indicateurs du palais de Minos : elle trace à travers ces broussailles le chemin à sens unique de la Fatalité. A chaque instant, elle crée Hippolyte ; son amour est bien un inceste ; elle ne peut tuer ce garçon sans une espèce d'infanticide. Elle fabrique sa beauté, sa chasteté, ses faiblesses ; elle les extrait du fond d'elle-même ; elle isole de lui cette pureté détestable pour pouvoir la haïr sous la figure d'une fade vierge : elle forge de toutes pièces l'inexistante Aricie. Elle se grise du goût de l'impossible, le seul alcool qui sert toujours de base à tous les mélanges du malheur. Dans le

lit de Thésée, elle a l'amer plaisir de
tromper en fait celui qu'elle aime, et
en imagination celui qu'elle n'aime
pas. Elle est mère : elle a des enfants
comme elle aurait des remords. Entre
ses draps moites de fiévreuse, elle se
console à l'aide de chuchotements de
confession qui remontent aux aveux de
l'enfance balbutiés dans le cou de la
nourrice ; elle tette son malheur ; elle
devient enfin la misérable servante de
Phèdre. Devant la froideur d'Hippolyte, elle imite le soleil quand il heurte
un cristal : elle se change en spectre ;
elle n'habite plus son corps que comme
son propre enfer. Elle reconstruit au
fond de soi-même un Labyrinthe où
elle ne peut que se retrouver : le fil
d'Ariane ne lui permet plus d'en sortir,
puisqu'elle se l'embobine au cœur.
Elle devient veuve ; elle peut enfin
pleurer sans qu'on lui demande pourquoi ; mais le noir messied à cette

figure sombre : elle en veut à son deuil
de donner le change sur sa douleur.
Débarrassée de Thésée, elle porte son
espérance comme une honteuse grossesse posthume. Elle fait de la politique
pour se distraire d'elle-même : elle
accepte la Régence comme elle com-
mencerait à se tricoter un châle. Le
retour de Thésée se produit trop tard
pour la ramener dans le monde de
formules où se cantonne cet homme
d'État ; elle n'y peut rentrer que par
la fente d'un subterfuge ; elle s'in-
vente joie par joie le viol dont elle
accuse Hippolyte, de sorte que son
mensonge est pour elle un assouvisse-
ment. Elle dit vrai : elle a subi les
pires outrages ; son imposture est une
traduction. Elle prend du poison, puisqu'elle est mithridatisée contre elle-
même ; la disparition d'Hippolyte fait
le vide autour d'elle ; aspirée par ce
vide, elle s'engouffre dans la mort.

Elle se confesse avant de mourir, pour
avoir une dernière fois le plaisir de
parler de son crime. Sans changer
de lieu, elle rejoint le palais familial
où la faute est une innocence. Poussée
par la cohue de ses ancêtres, elle glisse
le long de ces corridors de métro,
pleins d'une odeur de bête, où les
rames fendent l'eau grasse du Styx, où
les rails luisants ne proposent que le
suicide ou le départ. Au fond des galeries de mine de sa Crète souterraine,
elle finira bien par rencontrer le jeune
homme défiguré par ses morsures de
fauve, puisqu'elle a pour le rejoindre
tous les détours de l'éternité. Elle ne
l'a pas revu depuis la grande scène du
troisième acte ; c'est à cause de lui
qu'elle est morte ; c'est à cause d'elle
qu'il n'a pas vécu ; il ne lui doit que
la mort ; elle lui doit les sursauts
d'une inextinguible agonie. Elle a le
droit de le rendre responsable de son

crime, de son immortalité suspecte sur les lèvres des poètes qui se serviront d'elle pour exprimer leurs aspirations à l'inceste, comme le chauffeur qui gît sur la route, le crâne fracassé, peut accuser l'arbre auquel il est allé se buter. Comme toute victime, il fut son bourreau. Des paroles définitives vont enfin sortir de ses lèvres que ne fait plus trembler l'espérance. Que dira-t-elle ? Sans doute merci.

En avion, près de toi, je ne crains plus le danger. On ne meurt que seul.

Je ne serai jamais vaincue. Je ne le serai qu'à force de vaincre. Chaque embûche déjouée m'enfermant dans l'amour qui finira par être ma tombe, je terminerai ma vie dans un cachot de victoires. Seule, la défaite trouve des clefs, ouvre les portes. La mort pour atteindre le fuyard doit se mettre en mouvement, perdre cette fixité qui nous fait reconnaître en elle le dur contraire de la vie. Elle nous donne la fin du cygne frappé en plein vol, d'Achille saisi aux cheveux par on ne sait quelle Raison sombre. Comme pour la femme asphyxiée dans le vestibule de sa maison de Pompéi, la mort ne fait que prolonger dans l'autre monde les corridors de la fuite. Ma mort à moi sera de pierre. Je connais les passerelles, les ponts tournants, les pièges, toutes les sapes de la Fatalité. Je ne puis m'y perdre. La mort, pour me tuer, aura besoin de ma complicité.

*
* *

As-tu remarqué que les fusillés s'affaissent, tombent à genoux ? Devenus lâches en dépit des cordes, ils fléchissent comme s'ils s'évanouissaient après coup. Ils font comme moi. Ils adorent leur mort.

* *
*

Il n'y a pas d'amour malheureux :
on ne possède que ce qu'on ne possède
pas. Il n'y a pas d'amour heureux : ce
qu'on possède, on ne le possède plus.

* *
*

Rien à craindre. J'ai touché le fond.
Je ne puis tomber plus bas que ton
cœur.

ACHILLE
OU LE MENSONGE

On avait éteint toutes les lampes. Les servantes, dans la salle basse, tissaient à l'aveuglette les fils d'une trame inattendue qui devenait celle des Parques ; une inutile broderie pendait des mains d'Achille. La robe noire de Misandre ne se distinguait plus de la robe rouge de Déidamie ; la robe blanche d'Achille était verte sous la lune. Depuis l'arrivée de cette jeune étrangère où toutes les femmes flai-

raient un dieu, la crainte s'était introduite dans l'Ile comme une ombre
couchée sous les pieds de la beauté.
Le jour n'était plus le jour, mais le
masque blond posé sur les ténèbres ;
les seins de femmes devenaient des
cuirasses sur des gorges de soldats.
Dès que Thétis avait vu se former dans
les yeux de Jupiter le film des combats
où succomberait Achille, elle avait
cherché dans toutes les mers du monde
une île, un roc, un lit assez étanche
pour flotter sur l'avenir. Cette déesse
agitée avait rompu les câbles sous-
marins qui transmettaient dans l'Ile
l'ébranlement des batailles, crevé l'œil
du phare instruisant les navires, chassé
à coups de tempêtes les oiseaux migrateurs qui portaient à son fils des messages de frères d'armes. Comme les
paysannes mettent des robes de filles
à leurs garçons malades pour dépister
la Fièvre, elle l'avait revêtu de ses tu-

niques de déesse qui dérouteraient la Mort. Ce fils infecté de mortalité lui rappelait la seule faute de sa jeunesse divine : elle avait couché près d'un homme sans prendre la précaution banale de le changer en dieu. On retrouvait en lui les traits de ce père grossier revêtus d'une beauté qu'il ne tenait que d'elle, et qui devait un jour lui rendre plus pénible l'obligation de mourir. Gainé de soie, voilé de gazes, empêtré de colliers d'or, Achille s'était faufilé par son ordre dans la tour des jeunes filles ; il venait de sortir du collège des Centaures : fatigué de forêts, il rêvait de chevelures ; las de gorges sauvages, il rêvait à des seins. L'abri féminin où l'enfermait sa mère devenait pour cet embusqué une sublime aventure ; il s'agissait d'entrer, sous la protection d'un corset ou d'une robe, dans ce vaste continent inexploré des Femmes où l'homme n'a pénétré jus-

qu'ici qu'en vainqueur, et à la lueur
des incendies de l'amour. Transfuge
du camp des mâles, Achille venait
risquer ici la chance unique d'être
autre chose que soi. Il appartenait
pour les esclaves à la race asexuée des
maîtres ; le père de Déidamie poussait
l'aberration jusqu'à aimer en lui la
vierge qu'il n'était pas ; les deux cou-
sines seules se refusaient de croire en
cette fille trop pareille à l'image
idéale qu'un homme se fait des femmes. Ce garçon ignorant des réalités
de l'amour commençait dans le lit de
Déidamie l'apprentissage des luttes, des
râles, des subterfuges ; son évanouis-
sement sur cette tendre victime servait
de substitut à une joie plus terrible
qu'il ne savait où prendre, dont il
ignorait le nom, et qui n'était que la
Mort. L'amour de Déidamie, la jalousie de Misandre refaisaient de lui le
dur contraire d'une fille. Les pas-

sions ondoyaient dans la tour comme des écharpes tourmentées par la brise : Achille et Déidamie se haïssaient comme ceux qui s'aiment ; Misandre et Achille s'aimaient comme ceux qui se haïssent. Cette ennemie musclée devenait pour Achille l'équivalent d'un frère ; ce rival délicieux attendrissait Misandre comme une espèce de sœur. Chaque onde passant sur l'Ile apportait des messages : des cadavres grecs, poussés en pleine mer par des vents inouïs, étaient autant d'épaves de l'armée naufragée faute du secours d'Achille ; des projecteurs le cherchaient au ciel sous un déguisement d'astre. La gloire, la guerre, vaguement entrevues dans les brumes de l'avenir, lui faisaient l'effet de maîtresses exigeantes dont la possession l'obligerait à trop de crimes : il croyait échapper au fond de cette prison de femmes aux sollicitations de ses vic-

times futures. Une barque grosse de
rois fit halte au pied du phare éteint
qui n'était qu'un écueil de plus :
Ulysse, Patrocle, Thersite, avertis par
une lettre anonyme, avaient annoncé
leur visite aux princesses ; Misandre,
complaisante tout à coup, aidait Déidamie à fixer des épingles dans la chevelure d'Achille. Ses larges mains trem-
blaient comme si elle venait de laisser
choir un secret. Les portes grandes
ouvertes firent entrer la nuit, les rois,
le vent, le ciel plein de signes. Thersite soufflait, fatigué par l'escalier de
mille marches, frottant entre ses mains
ses genoux pointus d'infirme : il avait
l'air d'un roi qui par lésine se serait
fait son propre bouffon. Patrocle, hésitant devant ce furet caché à l'intérieur
des Dames, tendait au hasard ses mains
gantées de fer. La tête d'Ulysse faisait penser à une monnaie usée,
rognée, rouillée, où se voyaient encore

les traits du roi d'Ithaque : la main
en auvent sur les yeux, comme au sommet d'un mât, il examinait les princesses adossées au mur comme une
triple statue de femme ; et les cheveux
courts de Misandre, ses grandes mains
secouant celles des chefs, son aisance,
la lui firent prendre d'abord pour la
cachette d'un mâle. Les marins de
l'escorte déclouaient des caisses, débal-
laient, mêlées aux miroirs, aux bijoux,
aux nécessaires d'émail, les armes
qu'Achille sans doute allait se hâter
de brandir. Mais les casques maniés
par les six mains fardées rappelaient
ceux dont se servent les coiffeurs ;
les ceinturons amollis se changeaient
en ceintures ; dans les bras de Déidamie, un bouclier rond avait l'air d'un
berceau. Comme si le déguisement
était un mauvais sort auquel rien
n'échappait dans l'Ile, l'or devenait
du vermeil, les marins des travestis, et

les deux rois des colporteurs. Patrocle seul résistait au charme, le rompait comme une épée nue. Un cri d'admiration de Déidamie le désigna à l'attention d'Achille qui bondit vers cette vivante épée, prit entre ses mains la dure tête ciselée comme le pommeau d'un glaive, sans s'apercevoir que ses voiles, ses bracelets, ses bagues faisaient de son geste un transport d'amoureuse. La loyauté, l'amitié, l'héroïsme cessaient d'être des mots servant aux hypocrites à travestir leurs âmes : la loyauté, c'étaient ces yeux demeurés limpides devant cet amas de mensonges ; l'amitié serait leurs cœurs ; la gloire leur double avenir. Patrocle rougissant repoussa cette étreinte de femme : Achille recula, laissa pendre ses bras, versa des larmes qui ne faisaient que parfaire son déguisement de jeune fille, mais donnaient à Déidamie une raison nouvelle de préférer Patrocle.

Des œillades, des sourires interceptés comme une correspondance amoureuse, le trouble du jeune enseigne à demi naufragé sous cette houle de dentelles changèrent le désarroi d'Achille en jalousie furieuse. Ce garçon vêtu de bronze éclipsait les images nocturnes que Déidamie conservait d'Achille, autant qu'un uniforme primait à ses yeux de femme le pâle éclat d'un corps nu. Achille se saisit maladroitement d'un glaive qu'il lâcha sur-le-champ, se servit pour serrer le cou de Déidamie de ses mains de fille envieuse du succès d'une compagne. Les yeux de la femme étranglée jaillirent comme deux longues larmes ; des esclaves intervinrent ; les portes se refermant avec un bruit de milliers de soupirs étouffèrent les derniers hoquets de Déidamie : les rois déconcertés se retrouvèrent de l'autre côté du seuil. La chambre des Dames s'emplit d'une obscurité suffocante, interne, qui n'avait rien à voir avec la nuit. Achille agenouillé écoutait la vie de Déidamie s'échapper de sa gorge comme l'eau du goulot trop étroit d'un vase. Il se sentait plus séparé que jamais de cette femme qu'il avait essayé, non seulement de posséder, mais d'être : devenue de moins en moins proche à mesure qu'il resserrait son étreinte, l'énigme d'être une morte s'était ajoutée chez elle au mystère d'être une femme. Il palpait avec horreur ses seins, ses flancs, ses cheveux nus. Il se leva, tâtant les murs où ne s'ouvrait plus aucune issue, honteux de n'avoir pas reconnu dans les rois les secrets émissaires de son propre courage, sûr d'avoir laissé fuir sa seule chance d'être un dieu. Les astres, la vengeance de Misandre, l'indignation du père de Déidamie s'uniraient pour le maintenir enfermé dans

ce palais sans façade sur la gloire :
ses mille pas autour de ce cadavre
composeraient désormais l'immobilité d'Achille. Des mains presque
aussi froides que celles de Déidamie se
posèrent sur son épaule : stupéfait,
il entendit Misandre lui proposer de
fuir avant que n'éclatât sur lui la
colère de ce père tout-puissant. Il con-
fia son poignet à la main de cette
fatale amie, régla son pas sur celui de
cette fille à l'aise dans les ténèbres,
sans savoir si Misandre obéissait à
une rancune ou à une gratitude sombre,
s'il avait pour guide une femme qui se
vengeait ou une femme qu'il avait
vengée. Des battants cédaient, puis
se refermaient : les dalles usées s'abais-
saient doucement sous leurs pieds
comme le creux mou d'une vague ;
Achille et Misandre continuaient de
plus en plus vite leur descente en
spirale, comme si leur vertige était

une pesanteur. Misandre comptait les marches, égrenait à haute voix une sorte de chapelet de pierre. Une porte enfin s'ouvrit sur les falaises, les digues, les escaliers du phare : l'air salé comme le sang et les larmes jaillit à la face de l'étrange couple étourdi par cette marée de fraîcheur. Avec un rire dur, Misandre arrêta le bel être ramassant ses jupes, déjà prêt à bondir, lui tendit un miroir où l'aube lui permettait de trouver son visage, comme si elle n'avait consenti à le mener au jour libre que pour lui infliger, dans un reflet plus effrayant que le vide, la preuve blême et fardée de sa non-existence de dieu. Mais sa pâleur de marbre, ses cheveux ondoyants comme la crinière d'un casque, son fard mêlé de pleurs collant à ses joues comme le sang d'un blessé rassemblaient au contraire dans ce cadre étroit tous les futurs aspects d'Achille, comme si ce

mince morceau de glace avait empri-
sonné l'avenir. Le bel être solaire
arracha sa ceinture, défit son écharpe,
voulut se débarrasser de ses mousse-
lines asphyxiantes, mais craignit de
s'exposer davantage au feu des sentinelles, s'il avait l'imprudence de se
laisser voir nu. Un instant, la plus
dure de ces deux femmes divines se
pencha sur le monde, hésitant si elle
ne prendrait pas sur ses propres épaules
le poids du sort d'Achille, de Troie
en flammes, et de Patrocle vengé,
puisque aussi bien le plus perspicace
des dieux ou des bouchers n'aurait pu
distinguer ce cœur d'homme de son
cœur. Prisonnière de ses seins, Misandre écarta les deux battants qui gémi-
rent à sa place, poussa du coude Achille
vers tout ce qu'elle ne serait pas. La
porte se referma sur l'ensevelie vivante:
lâché comme un aigle, Achille courut
le long des rampes, dégringola des

marches, dévala des remparts, sauta des précipices, roula comme une grenade, fila comme une flèche, vola comme une Victoire. Les pointes du roc déchiraient ses vêtements sans mordre sa chair invulnérable : l'être agile s'arrêta, dénoua ses sandales, offrit à ses plantes nues une chance d'être blessées. L'escadre levait l'ancre : des appels de sirènes se croisaient sur la mer ; le sable agité par le vent enregistrait à peine les pieds légers d'Achille. Une chaîne tendue par le ressac amarrait au môle la barque déjà toute trépidante de machines et de départ : Achille s'engagea sur ce câble des Parques, les bras grands ouverts, soutenu par les ailes de ses écharpes flottantes, protégé comme par un blanc nuage par les mouettes de sa Mère marine. Un bond hissa sur l'arrière du vaisseau de haut bord cette fille échevelée en qui naissait un dieu. Les matelots s'agenouillèrent, s'exclamèrent, saluèrent de jurons émerveillés l'arrivée de la Victoire. Patrocle tendit les bras, crut reconnaître Déidamie ; Ulysse secoua la tête ; Thersite éclata de rire. Personne ne se doutait que cette déesse n'était pas femme.

Un cœur, c'est peut-être malpropre. C'est de l'ordre de la table d'anatomie et de l'étal de boucher. Je préfère ton corps.

Il y a autour de nous l'atmosphère de Leysin, de Montana, des sanatoria de haute montagne, vitrés comme des aquariums, gigantesques réserves où sans cesse la Mort vient pêcher. Les malades crachent des confidences sanglantes, échangent des bacilles, comparent des bulletins de température, s'établissent dans une camaraderie de dangers. De toi ou de moi, qui a le plus de cavernes ?

Où me sauver ? Tu emplis le monde. Je ne puis te fuir qu'en toi.

Le Destin est gai. Celui qui prête à la Fatalité on ne sait quel beau masque tragique ne connaît d'elle que ses déguisements de théâtre. Un mauvais plaisant inconnu répète la même scie grossière jusqu'aux nausées de l'agonie. Il flotte autour du Sort une vague odeur de chambre d'enfant, de boîte vernissée d'où sortent les diables de l'Habitude, de placards d'où nos bonnes, grotesquement affublées, s'élançaient tout à coup dans l'espoir de nous faire crier. Les personnages des Tragiques sursautent, dérangés brutalement par le gros rire du tonnerre. Avant d'être aveugle, Œdipe n'a fait toute sa vie que jouer à colin-maillard avec le Sort.

J'ai beau changer : mon sort ne change pas. Toute figure peut être inscrite à l'intérieur d'un cercle.

On se souvient de ses rêves : on ne se souvient pas de ses sommeils. Deux fois seulement, j'ai pénétré dans ces fonds traversés de courants où nos songes ne sont que les épaves de réalités submergées. L'autre jour, ivre de bonheur comme on est ivre d'air à la fin d'une longue course, je me suis jetée sur mon lit à la façon d'un plongeur qui se lance de dos, les bras en croix : j'ai basculé dans une mer bleue. Adossée à l'abîme comme une nageuse qui fait la planche, soutenue par la vessie d'oxygène de mes poumons pleins d'air, j'émergeai de cette mer grecque comme une île nouveau-née. Ce soir, saoule de chagrin, je me laisse tomber sur mon lit avec les gestes d'une noyée qui s'abandonne : je cède au sommeil comme à l'asphyxie. Les courants de souvenirs persistent à travers l'abrutissement nocturne, m'entraînent vers une espèce de lac Asphaltite. Pas moyen d'enfoncer dans cette eau saturée de sels, amère comme la sécrétion des paupières. Je flotte comme la momie sur son bitume, dans l'appréhension d'un réveil qui sera tout au plus une survie. Le flux, puis le reflux du sommeil me retournent malgré moi sur cette plage de batiste. A chaque moment, mes genoux se cognent à ton souvenir. Le froid me réveille, comme si j'avais couché près d'un mort.

Je supporte tes défauts. On se résigne aux défauts de Dieu. Je supporte ton défaut. On se résigne au défaut de Dieu.

Un enfant, c'est un otage. La vie nous a.

Il en va de même d'un chien, d'une panthère ou d'une cigale. Léda disait : « Je ne suis plus libre de me suicider depuis que j'ai acheté un cygne. »

PATROCLE
OU LE DESTIN

Une nuit, ou plutôt un jour imprécis tombait sur la plaine : on n'aurait pu dire en quel sens se dirigeait le crépuscule. Les tours ressemblaient à des rochers, au pied de montagnes qui ressemblaient à des tours. Cassandre hurlait sur les murailles, en proie à l'horrible travail d'enfanter l'avenir. Le sang collait, comme du fard, aux joues méconnaissables des cadavres ; Hélène peignait sa bouche de vampire

d'un fard qui faisait penser à du sang.
Depuis des années, on s'était installé
là-bas dans une espèce de routine rouge
où la paix se mélangeait à la guerre
comme la terre à l'eau dans les puantes
régions de marécage. La première
génération de héros qui avaient reçu
la guerre comme un privilège, presque
comme une investiture, moissonnée
par les chars à faux, fit place à un
contingent de soldats qui l'acceptèrent
comme un devoir, puis la subirent
comme un sacrifice. L'invention des
tanks ouvrit d'énormes brèches dans
ces corps qui n'existaient plus qu'à
la façon de remparts ; une troisième
vague d'assaillants se rua contre la
mort ; ces joueurs misant à chaque
coup leur maximum de vie tombèrent
enfin comme on se suicide, frappés par
la bille en pleine case rouge du cœur.
Le temps était passé des tendresses
héroïques où l'adversaire était le revers

sombre de l'ami. Iphigénie était morte, fusillée par ordre d'Agamemnon, convaincue d'avoir trempé dans la mutinerie des équipages de la mer Noire ; Pâris avait été défiguré par l'explosion d'une grenade ; Polyxène venait de succomber au typhus dans l'hôpital de Troie ; les Océanides agenouillées sur la plage n'essayaient plus d'écarter les mouches bleues du cadavre de Patrocle. Depuis la mort de cet ami qui tout à la fois avait rempli le monde et l'avait remplacé, Achille ne quittait plus sa tente jonchée d'ombres : nu, couché à même la terre comme s'il s'efforçait d'imiter ce cadavre, il se laissait ronger par la vermine de ses souvenirs. De plus en plus, la mort lui apparaissait comme un sacre dont seuls les plus purs sont dignes : beaucoup d'hommes se défont, peu d'hommes meurent. Toutes les particularités dont il se souvenait en pensant à Patrocle :

sa pâleur, ses épaules rigides, un rien
remontées, ses mains toujours un peu
froides, le poids de son corps croulant
dans le sommeil avec une densité de
pierre acquéraient enfin leur plein sens
d'attributs posthumes, comme si Patrocle n'avait été vivant qu'une
ébauche de cadavre. La haine inavouée
qui dort au fond de l'amour prédis-
posait Achille à la tâche de sculpteur :
il enviait Hector d'avoir achevé ce
chef-d'œuvre ; lui seul aurait dû arra-
cher les derniers voiles que la pensée,
le geste, le fait même d'être en vie
interposaient entre eux, pour décou-
vrir Patrocle dans sa sublime nudité
de mort. En vain, les chefs troyens
faisaient annoncer à son de trompe de
savants corps à corps dépouillés de
l'ingénuité des premières années de
guerre : veuf de ce compagnon qui
méritait d'être un ennemi, Achille ne
tuait plus, pour ne pas susciter à

Patrocle des rivaux d'outre-tombe. De temps à autre, des cris résonnaient ; des ombres casquées passaient sur le mur rouge : depuis qu'Achille s'enfermait dans ce mort, les vivants ne se montraient à lui que sous forme de fantômes. Une humidité traîtresse montait du sol nu ; le pas d'armées en marche faisait trembler la tente ; les pieux oscillaient dans cette terre qui ne donnait plus prise ; les deux camps réconciliés luttaient avec le fleuve s'efforçant de noyer l'homme : Achille pâle entra dans ce soir de fin de monde. Loin de voir dans les vivants les précaires rescapés d'un raz-de-mort menaçant toujours, c'étaient les morts maintenant qui lui paraissaient submergés par l'immonde déluge des vivants. Contre l'eau mouvante, animée, informe, Achille défendait les pierres et le ciment qui servent à faire des tombes. Quand l'incendie descendu des forêts de l'Ida vint jusque dans le port lécher le ventre des navires, Achille prit contre les troncs, les mâts, les voiles insolemment fragiles, le parti du feu qui ne craint pas d'embrasser les morts sur le lit de bois des bûchers. D'étranges peuplades débouchaient de l'Asie comme des fleuves : gagné par la folie d'Ajax, Achille égorgea ce bétail sans même y reconnaître des linéaments humains. Il envoyait à Patrocle ces hardes destinées aux chasses de l'autre monde. Les Amazones parurent ; une inondation de seins couvrit les collines du fleuve ; l'armée frémissait à cette odeur de toisons nues. Toute sa vie, les femmes avaient représenté pour Achille la part instinctive du malheur, celle dont il n'avait pas choisi la forme, qu'il devait subir, ne pouvait accepter. Il reprochait à sa mère d'avoir fait de lui un métis à mi-chemin entre le dieu et l'homme, lui

ôtant ainsi la moitié du mérite qu'ont
les hommes à se faire dieux. Il lui
gardait rancune de l'avoir tout enfant
mené aux bains du Styx pour l'im-
muniser contre la peur, comme si l'héroïsme ne consistait pas à être vulné-
rable. Il en voulait aux filles de Lyco-
mède de n'avoir pas reconnu dans son
travesti le contraire d'un déguisement.
Il ne pardonnait pas à Briséis l'humi-
liation de l'avoir aimée. Son glaive
enfonça dans cette gelée rose, trancha
des nœuds gordiens de viscères ; les
femmes hurlantes, enfantant la mort
par la brèche des blessures, s'empê-
traient comme des chevaux de corrida
dans l'échevellement de leurs entrailles.
Penthésilée se dégagea de ce monceau
de femmes piétinées, dur noyau de cette
pulpe nue. Elle avait baissé sa visière
pour qu'on ne s'attendrît pas en regar-
dant ses yeux : elle seule osait renoncer
à la ruse d'être sans voiles. Carapacée,

casquée, masquée d'or, cette Furie mi-
nérale ne gardait d'humain que ses cheveux et sa voix, mais ses cheveux
étaient d'or, de l'or sonnait dans cette
voix pure. Seule d'entre ses compagnes,
elle avait consenti à se faire couper le
sein, mais cette mutilation n'était qu'à
peine sensible sur cette gorge de dieu.
On traîna par les cheveux les mortes
hors de l'arène ; les soldats firent la
haie, muant le champ de bataille en
champ clos, poussant Achille au centre
d'un cercle où le meurtre était pour lui
la seule issue. Sur ce décor kaki, feld-
grau, bleu horizon, l'armure de l'Amazone changeait de forme avec les siècles,
de teinte selon les projecteurs. Avec
cette Slave qui faisait de chaque feinte
un pas de danse, le corps à corps devenait tournoi, puis ballet russe. Achille
avançait, puis reculait, rivé à ce métal
qui contenait une hostie, envahi par
l'amour qu'on trouve au fond de la

haine. De toute sa force, il lança son glaive, comme pour rompre un charme, creva la mince cuirasse qui interposait entre cette femme et lui on ne sait quel pur soldat. Penthésilée tomba comme on cède, incapable de résister à ce viol de fer. Des infirmiers s'élançaient ; on entendit crépiter la mitrailleuse des prises de vue ; des mains impatientes écorchaient ce cadavre d'or. La visière levée découvrit, au lieu d'un visage, un masque aux yeux aveugles que les baisers n'atteignaient plus. Achille sanglotait, soutenait la tête de cette victime digne d'être un ami. C'était le seul être au monde qui ressemblait à Patrocle.

Ne plus se donner, c'est se donner encore. C'est donner son sacrifice.

*
* *

Rien de plus sale que l'amour-propre.

*
* *

Le crime du fou, c'est qu'il se préfère. Cette préférence impie me répugne chez ceux qui tuent et m'épouvante chez ceux qui aiment. La créature aimée n'est plus pour ces avares qu'une pièce d'or où crisper les doigts.

Ce n'est plus qu'un dieu : c'est à peine une chose. Je me refuse à faire de toi un objet, même quand ce serait l'Objet Aimé.

La seule horreur, c'est de ne pas servir. Fais de moi ce que tu voudras, même un écran, même le métal bon conducteur.

Tu pourrais t'effondrer d'un seul bloc dans le néant où vont les morts : je me consolerais si tu me léguais tes mains. Tes mains seules subsisteraient, détachées de toi, inexplicables comme celles des dieux de marbre devenus poussière et chaux de leur propre tombe. Elles survivraient à tes actes, aux misérables corps qu'elles ont caressés. Entre les choses et toi, elles ne serviraient plus d'intermédiaires : elles seraient elles-mêmes changées en choses. Redevenues innocentes, puisque tu ne serais plus là pour en faire tes complices, tristes comme des lévriers sans maître, déconcertées comme des archanges à qui nul dieu ne donne plus d'ordres, tes vaines mains reposeraient sur les genoux des ténèbres. Tes mains ouvertes, incapables de donner ou de prendre aucune joie, m'auraient laissé tomber comme une poupée brisée. Je baise, à la hauteur du poignet, ces mains indifférentes que ta volonté n'écarte plus des miennes ; je caresse l'artère bleue, la colonne de sang qui jadis incessante comme le jet d'une fontaine surgissait du sol de ton cœur. Avec de petits sanglots satisfaits, je repose la tête comme un enfant, entre ces paumes pleines des étoiles, des croix, des précipices de ce qui fut mon destin.

Je n'ai pas peur des spectres. Les vivants ne sont terribles que parce qu'ils ont un corps.

Il n'y a pas d'amours stériles. Toutes les précautions n'y font rien. Quand je te quitte, j'ai au fond de moi ma douleur, comme une espèce d'horrible enfant.

ANTIGONE
OU LE CHOIX

Que dit midi profond ? La haine est
sur Thèbes comme un affreux soleil.
Depuis la mort de la Sphinge, la ville
ignoble est sans secrets : tout y vient au
jour. L'ombre baisse au ras des maisons, au pied des arbres, comme l'eau
fade au fond des citernes : les chambres
ne sont plus des puits d'obscurité, des
magasins de fraîcheur. Les promeneurs
ont l'air de somnambules d'une inter-
minable nuit blanche. Jocaste s'est

étranglée pour ne plus voir le soleil. On dort au grand jour ; on aime au grand jour. Les dormeurs couchés en plein air ont l'aspect de suicidés ; les amants sont des chiens qui s'étreignent au soleil. Les cœurs sont secs comme les champs ; le cœur du nouveau roi est sec comme le rocher. Tant de sécheresse appelle le sang. La haine infecte les âmes ; les radiographies du soleil rongent les consciences sans réduire leur cancer. Œdipe est devenu aveugle à force de manipuler ces rais sombres. Antigone seule supporte les flèches décochées par la lampe à arc d'Apollon, comme si la douleur lui servait de lunettes noires. Elle quitte cette cité d'argile cuite au feu où les visages durcis sont faits de la terre des tombes ; elle accompagne Œdipe hors des portes béantes qui paraissent le vomir. Elle conduit le long des routes de l'exil ce père qui est en même temps son tra-

gique frère aîné : il bénit l'heureuse
faute qui l'a jeté sur Jocaste, comme si
l'inceste avec la mère n'avait été pour
lui qu'un moyen de s'engendrer une
sœur. Elle n'a de cesse qu'elle ne l'ait
vu reposer dans une nuit plus définitive que la cécité humaine, couché
dans le lit des Furies qui se transfor-
ment aussitôt en déesses protectrices,
puisque toute douleur à qui l'on
s'abandonne se change en sérénité.
Elle refuse l'aumône de Thésée qui
lui offre des vêtements, du linge frais,
une place dans la voiture publique
pour rentrer à Thèbes : elle regagne à
pied la ville qui fait un crime de ce qui
n'est qu'un désastre, un exil de ce qui
n'est qu'un départ, un châtiment de
ce qui n'est qu'une fatalité. Dépeignée,
suante, objet de risée aux fous, objet
de scandale aux sages, elle suit en
rase campagne la piste des armées
jalonnée de bouteilles vides, de sou-

liers éculés, de malades abandonnés
que les oiseaux de proie prennent déjà
pour des morts. Elle se dirige vers
Thèbes comme saint Pierre rentre à
Rome, pour s'y faire crucifier. Elle se
faufile à travers les sept cercles des
armées qui campent autour de Thèbes,
invisible comme une lampe dans le
rougeoiement de l'Enfer. Elle rentre
par une porte dérobée à l'intérieur
des remparts surmontés de têtes cou-
pées comme ceux des villes chinoises ;
elle se glisse dans les rues vidées par
la peste de la haine, secouées dans leurs
fondements par le passage des chars
d'assaut ; elle grimpe jusqu'aux plates-
formes où les femmes et les filles hulu-
lent de joie à chaque coup de feu qui
ne frappe pas leurs proches ; sa face
exsangue entre ses longues nattes noires
prend place sur les créneaux dans la
file des têtes tranchées. Elle ne choisit pas plus entre ses frères ennemis

qu'entre la gorge ouverte et les mains dégouttantes de l'homme qui se suicide : les jumeaux ne sont pour elle qu'un seul sursaut de douleur, comme ils ne furent d'abord qu'un seul tressaillement de joie dans le ventre de Jocaste. Elle attend la défaite pour se vouer au vaincu, comme si le malheur était un jugement de Dieu. Elle redescend, tirée par le poids de son cœur vers les bas-fonds du champ de bataille ; elle marche sur les morts comme Jésus sur la mer. Entre ces hommes nivelés par la décomposition commençante, elle reconnaît Polynice à sa nudité étalée comme à une sinistre absence de fraude, à la solitude qui l'entoure comme à une garde d'honneur. Elle tourne le dos à la basse innocence qui consiste à punir. Même vivant, le cadavre officiel d'Étéocle, refroidi par ses succès, est momifié déjà dans le mensonge de la gloire.

Même mort, Polynice existe comme la douleur. Il ne risque plus de finir aveuglé comme Œdipe, de vaincre comme Étéocle, de régner comme Créon : il ne peut se figer ; il ne peut plus que pourrir. Vaincu, dépouillé, mort, il a atteint le fond de la misère humaine : rien ne s'interpose entre eux, pas même une vertu, pas même un point d'honneur. Innocents des lois, scandaleux dès le berceau, enveloppés dans le crime comme dans une même membrane, ils ont en commun l'affreuse virginité qui consiste à n'être pas de ce monde : leurs deux solitudes se rejoignent exactement comme deux bouches dans le baiser. Elle se courbe sur lui comme le ciel sur la terre, reformant ainsi dans son intégrité l'univers d'Antigone : un obscur instinct de possession l'incline vers ce coupable qu'on ne lui disputera pas. Ce mort est l'urne vide où verser d'un seul coup tout le vin d'un grand amour. Ses minces bras soulèvent péniblement ce corps que lui disputent les vautours : elle porte son crucifié comme on porterait une croix. Du haut des remparts, Créon voit venir ce mort soutenu par son âme immortelle. Des prétoriens s'élancent, traînent hors du cimetière cette goule de la Résurrection : leurs mains déchirent peut-être sur l'épaule d'Antigone une tunique sans couture, se saisissent du cadavre qui déjà se dissout, s'écoule comme un souvenir. Délestée de son mort, cette fille au front baissé semble supporter Dieu. Créon voit rouge à son aspect, comme si ses loques couvertes de sang étaient un drapeau. La ville sans pitié ignore les crépuscules : le jour noircit d'un seul coup, comme une ampoule brûlée qui ne verse plus de lumière : si le roi levait les yeux, les réverbères de Thèbes lui cacheraient maintenant les lois ins-

crites au ciel. Les hommes sont sans
destins, puisque le monde est sans astres.
Antigone seule, victime de droit divin,
a reçu pour apanage l'obligation de
périr, et ce privilège peut expliquer
leur haine. Elle avance dans cette nuit
fusillée par les phares : ses cheveux
de folle, ses haillons de mendiante,
ses ongles de crocheteuse montrent
jusqu'où doit aller la charité d'une
sœur. En plein soleil, elle était l'eau
pure sur les mains souillées, l'ombre au
creux du casque, le mouchoir sur la
bouche des trépassés. En pleine nuit,
elle devient une lampe. Sa dévotion
aux yeux crevés d'Œdipe resplendit
sur des millions d'aveugles ; sa passion pour son frère putréfié réchauffe
hors du temps des myriades de morts.
On ne tue pas la lumière ; on ne peut
que la suffoquer : on met sous le bois-
seau l'agonie d'Antigone. Créon la
rejette à l'égout, aux catacombes. Elle

retourne au pays des sources, des tré-
sors, des germes. Elle repousse Ismène
qui n'est qu'une sœur de chair ; elle
écarte dans Hémon l'affreuse chance
d'enfanter des vainqueurs. Elle part
à la recherche de son étoile située aux
antipodes de la raison humaine, et
qu'elle ne peut rejoindre qu'en passant
par la tombe. Hémon converti au
malheur se précipite sur ses pas dans
les corridors noirs : ce fils d'un homme
aveuglé est le troisième aspect de son
tragique amour. Il arrive à temps
pour la voir préparer le système compliqué d'écharpes et de poulies qui
doit lui permettre de s'évader vers
Dieu. Midi profond parlait de fureur :
minuit profond parle de désespoir. Le
temps n'existe plus dans ce Thèbes
privé d'astres ; les dormeurs allongés
dans le noir absolu ne voient plus
leur conscience. Créon, couché dans
le lit d'Œdipe, repose sur le dur

oreiller de la Raison d'État. Quelques protestataires égaillés dans les rues, ivrognes de la justice, trébuchent sur de la nuit et se vautrent au pied des bornes. Brusquement, dans le silence abêti de la ville cuvant son crime, un battement venu de dessous terre se précise, grandit, s'impose à l'insomnie de Créon, devient son cauchemar. Créon se lève, tâtonne, trouve la porte des souterrains dont il est seul à savoir l'existence, découvre dans la glaise du sous-sol les pas de son fils aîné. Une vague phosphorescence émanant d'Antigone lui fait reconnaître Hémon suspendu au cou de l'immense suicidée, entraîné par l'oscillation de ce pendule qui semble mesurer l'amplitude de la mort. Liés l'un à l'autre comme pour peser plus lourd, leur lent va-et-vient les enfonce chaque fois plus avant dans la tombe, et ce poids palpitant remet en mouvement la machinerie des astres. Le bruit révélateur traverse les pavés, les carrelages de marbre, les murs d'argile durcie, emplit l'air desséché d'une pulsation d'artères. Les devins se couchent l'oreille contre le sol, auscultent comme des médecins la poitrine de la terre tombée en léthargie. Le temps reprend son cours au bruit de l'horloge de Dieu. Le pendule du monde est le cœur d'Antigone.

Aimer les yeux fermés, c'est aimer comme un aveugle. Aimer les yeux ouverts, c'est peut-être aimer comme un fou : c'est éperdument accepter. Je t'aime comme une folle.

Un ignoble espoir me reste. Je compte malgré moi sur une solution de continuité de l'instinct, l'équivalent, dans la vie du cœur, de l'acte du distrait qui se trompe de noms, de portes. Je te souhaite avec horreur une trahison de Camille, un échec près de

Claude, un scandale qui t'éloignerait d'Hippolyte. N'importe quel faux pas pourrait te faire tomber sur mon corps.

On arrive vierge à tous les événements de la vie. J'ai peur de ne pas savoir m'y prendre avec ma Douleur.

Un dieu qui veut que je vive t'a ordonné de ne plus m'aimer. Je ne supporte pas bien le bonheur. Manque d'habitude. Dans tes bras, je ne pouvais que mourir.

Utilité de l'amour. Les voluptueux s'arrangent pour accomplir sans lui l'exploration du plaisir. On n'a que faire du délire au cours d'une série d'expériences sur le mélange et la combinaison des corps. Puis, on s'aperçoit qu'il reste des découvertes à faire dans un hémisphère sombre. On avait besoin de lui pour nous enseigner la Douleur.

LÉNA
OU LE SECRET

Léna était la concubine d'Aristogiton et sa maîtresse bien moins que sa
servante. Ils habitaient une maison-
nette près de la chapelle de Saint-
Sôtir : elle cultivait dans le petit jardin
les tendres courgettes et les abon-
dantes aubergines, salait les anchois,
coupait en quartiers la viande rouge
des pastèques, descendait laver le linge
dans le lit sec de l'Ilissos, veillait à
ce que son maître se munît d'un foulard

qui l'empêcherait de s'enrhumer après
les exercices du Stade. Pour prix de
tant de soins, il se laissait aimer. Ils
sortaient ensemble : ils allaient écouter
dans les petits cafés les disques tour-
noyants des chansons populaires, arden-
tes et lamentables comme un obscur
soleil. Elle était fière de voir son por-
trait en première page des journaux
de sport. Il s'était fait inscrire aux
concours de boxe d'Olympie ; il avait
consenti à ce qu'elle fût du voyage :
elle avait supporté sans se plaindre la
poussière du chemin, l'amble fatigant
des mules, les auberges pouilleuses où
l'eau se vendait plus cher que le meil-
leur vin des îles. Sur la route, le bruit des
voitures était si continu qu'on n'enten-
dait même plus le crissement des cigales.
Un jour, à midi, au détour d'une colline, elle avait découvert sous ses pieds
la vallée d'Olympie, creuse comme
la paume d'un dieu qui porte dans sa

main la statue de la Victoire. Une buée de chaleur flottait sur les autels, les cuisines, les boutiques de la foire dont Léna convoitait les bijoux de pacotille. Dans la foule, pour ne pas perdre son maître, elle avait pris entre ses dents le fin bout de son manteau. Elle avait frotté de graisse, décoré de rubans, barbouillé de baisers les idoles assez bonnes pour ne pas repousser les avances d'une servante ; elle avait récité pour le succès de son maître tout ce qu'elle savait de prières, et crié contre ses rivaux tout ce qu'elle savait de malédictions. Séparée de lui pendant les longues abstinences imposées aux athlètes, elle avait dormi seule sous la tente, dans le quartier des femmes, hors de l'enceinte réservée aux jouteurs, repoussant les mains qui se tendaient dans l'ombre, indifférente même aux cornets de graines de tournesol que lui présentaient ses voisines. L'imagination du boxeur s'emplissait de torses frottés d'huile et de têtes rasées où les mains n'ont pas de prise : elle avait l'impression qu'Aristogiton la délaissait pour ses adversaires ; le soir des Jeux, il lui était apparu porté en triomphe dans les couloirs du Stade, essoufflé comme après l'amour, en proie au style des reporters, aux plaques de verre des photographes : elle avait eu l'impression qu'il la trompait avec la Gloire. Sa vie de triomphateur se passait à faire la fête avec les gens du monde : elle l'avait vu sortir du banquet rituel en compagnie d'un jeune noble athénien, ivre d'une ivresse qu'elle espérait pouvoir attribuer à l'alcool, car on se corrige du vin plus vite que du bonheur. Il était rentré à Athènes dans la voiture d'Harmodios, abandonnant Léna aux soins d'une de ses voisines ; il avait disparu dans une nuée de poussière, enlevé à ses caresses comme

un mort ou comme un dieu ; la dernière image qu'elle avait enregistrée
de lui était celle d'une écharpe flot-
tant sur une nuque brune. Comme
une chienne qui suit de loin sur la route
son maître parti sans elle, Léna reprit
en sens inverse le long chemin mon-
tueux où les femmes se hâtaient, dans
les endroits déserts, craignant de voir
des satyres. Dans chaque auberge de
village où elle entrait pour acheter un
peu d'ombre et un café flanqué d'un
verre d'eau, elle trouvait le patron
encore occupé à compter les pièces
d'or négligemment tombées des poches
de ces deux hommes : partout, ils
avaient pris les meilleures chambres,
bu les meilleurs vins, obligé les chan-
teurs à brailler jusqu'à l'aube : l'orgueil de Léna, qui était encore de
l'amour, pansait les plaies de son
amour, qui était encore de l'orgueil.
Peu à peu, le jeune dieu ravisseur

cessait de n'être qu'un visage, devenait pour elle un nom, une histoire, un court passé. Le garagiste de Patras lui apprit qu'il se nommait Harmodios ; le maquignon de Pyrgos parlait de ses chevaux de course ; le passeur du Styx, que ses fonctions obligeaient à fréquenter les morts, savait qu'il était orphelin et que son père venait d'aborder sur l'autre rive des jours ; les voleurs de grand chemin n'ignoraient pas que le tyran d'Athènes l'avait comblé de richesses ; les courtisanes de Corinthe croyaient savoir qu'il était beau. Tous, même les mendiants, même les idiots de village, savaient qu'il ramenait dans sa voiture de course le champion de boxe des Jeux Olympiques : ce garçon rayonnant n'était plus que la coupe, le vase orné de bandelettes, l'image aux longs cheveux de la Victoire. A Mégare, l'employé de l'octroi apprit à Léna qu'Har-

modios ayant refusé de laisser la voie
libre au char du chef de l'État, Hipparque avait violemment reproché au
jeune homme son ingratitude, ses fré-
quentations plébéiennes : ses mili-
ciens avaient repris de force possession
du char de feu qu'il ne lui avait pas
donné, disait-il, pour s'y promener en
compagnie d'un boxeur. Dans la banlieue d'Athènes, Léna tressaillit au bruit
des acclamations séditieuses où le nom
de son maître lui revenait usé par dix
mille paires de lèvres ; la jeunesse avait
organisé en l'honneur du vainqueur
des retraites aux flambeaux auxquelles
Hipparque refusait d'assister : des
sapins arrachés avec leurs racines pleu-
raient à chaudes larmes leur résine
sacrifiée. Dans la petite maison du
quartier de Saint-Sôtir, les danseurs
battant inégalement du talon le sol
dallé de la cour projetaient sur la
muraille une fresque mouvante et nue.

Pour ne déranger personne, Léna se glissa sans bruit par l'entrée de la cuisine. Les jarres, les casseroles cessaient de lui parler un langage familier ; des mains maladroites avaient préparé un repas ; elle se coupa le doigt en ramassant un verre brisé. Elle essaya vainement d'amadouer à l'aide d'os et de flatteries le lévrier d'Harmodios couché sous le garde-manger. Elle s'était attendue à ce que son maître lui rapportât le menu des dîners auxquels il assistait dans le monde ; mais ses sourires même ne l'aperçoivent pas ; pour se débarrasser d'elle, il l'envoie travailler aux vendanges dans sa petite ferme de Décélie. Elle prévoit un mariage entre son maître et la sœur d'Harmodios : elle pense avec horreur à une épouse, avec détresse à des enfants. Elle vit dans l'ombre que projette sur sa route le bel Éros des noces environné de flambeaux. L'absence de fiançailles ne rassure qu'à demi cette innocente qui se trompe de danger : Harmodios a fait entrer le malheur dans cette maison comme une maîtresse voilée ; elle se sent délaissée pour cette femme impalpable. Un soir, un homme dans les traits usés de qui elle ne reconnaît pas le visage multiplié à l'infini par les timbres-poste et les pièces de monnaie à l'effigie d'Hipparque vient frapper à la porte de service, demande timidement le morceau de pain d'une vérité. Aristogiton qui rentre par hasard la trouve attablée au côté de ce mendiant suspect ; il se méfie trop d'elle pour lui faire des reproches : on l'expulse de la chambre soudain pleine de cris. Quelques jours plus tard, Harmodios découvre au pied de la source Clepsydre son ami victime d'un guet-apens : il appelle Léna pour l'aider à transporter sur l'unique divan de la maison le corps du boxeur tatoué de coups de couteau : leurs mains noircies par l'iode se rencontrent sur la poitrine du blessé. Léna voit se dessiner sur le front penché d'Harmodios la petite ride inquiète de l'Apollon charmeur de plaies. Elle tend vers le jeune homme ses grandes mains agitées en le suppliant de sauver son maître : elle ne s'étonne pas de l'entendre se reprocher chaque blessure comme s'il en était responsable, tant elle trouve naturel qu'un dieu soit tout ensemble sauveur et meurtrier. Le pas d'un policier en civil allant et venant le long du chemin désert fait tressaillir le blessé couché sur sa chaise longue ; Harmodios seul continue à se hasarder en ville comme si nul couteau ne pouvait s'ouvrir un passage dans sa chair, et cette insouciance confirme Léna dans l'idée qu'il est dieu. Ils redoutent sa langue au point de tâcher de lui faire prendre

l'agression de la veille pour une rixe
d'hommes ivres, de peur sans doute
qu'elle n'aille faire peser chez le boucher ou l'épicier du coin leurs chances
de se venger. Léna s'aperçoit avec horreur qu'ils font goûter au chien les ra-
goûts qu'elle leur prépare, comme s'ils
lui supposaient de bonnes raisons pour
les haïr. Pour se faire oublier, ils par-
tent avec quelques amis camper sur
le Parnès à la mode crétoise ; ils lui
cachent l'emplacement de la caverne
où ils dorment ; elle est chargée de
leur fournir des aliments qu'elle dépose
sous une pierre comme s'il s'agissait
de morts rôdant sur les confins du
monde : elle apporte en offrande à
Aristogiton le vin noir, les quartiers
de viande saignante sans réussir à
faire parler ce spectre exsangue qui
ne lui donne plus de baisers. Ce som-
nambule du crime n'est déjà plus qu'un
mort qui s'achemine vers sa tombe,

comme les cadavres des Juifs pèlerinent vers Josaphat. Elle touche timidement ses genoux, ses pieds nus, pour s'assurer qu'ils ne sont pas glacés ; elle croit voir dans les mains d'Harmodios la baguette de sourcier d'Hermès conducteur d'âmes. Leur retour dans Athènes s'effectue entre les chiens de la peur et les loups de la vengeance : des figures grotesques de hobereaux sans fortune, d'avocats sans causes, de soldats sans avenir se glissent dans la chambre du maître comme des ombres portées par la présence d'un dieu. Depuis qu'Harmodios s'oblige par prudence à ne plus coucher chez soi, Léna reléguée sous les combles ne peut plus veiller chaque nuit son maître comme on veille un malade, le border chaque soir comme on borde un enfant. Cachée sur la terrasse, elle regarde s'ouvrir et se fermer infatigablement la porte de cette maison atteinte d'insomnie : elle assiste sans rien y comprendre à ces allées et venues qui servent de navette à tisser la vengeance. On l'emploie en vue d'une fête de sport à coudre des croix ansées sur des robes de laine brune. Des lampes brûlent ce soir-là sur tous les toits d'Athènes : les jeunes filles nobles préparent leur robe de communiante pour la procession du lendemain : on remet en plis au fond du sanctuaire les cheveux roux de la Sainte Vierge : un million de grains d'encens fument au nez d'Athéna. Léna tient sur ses genoux la petite Irini qui maintenant loge chez eux, car Harmodios craint qu'Hipparque ne se venge de lui en enlevant sa jeune sœur. Elle se sent pleine de pité pour cette fillette qu'elle redoutait jadis de voir entrer dans la maison sous une couronne d'épouse, comme si leurs espérances à toutes deux avaient été trahies.

Elle passe la nuit à trier des roses rouges que l'enfant doit jeter à pleines poignées sur le passage de la Vierge Très Pure : Harmodios plonge dans cette corbeille ses mains impatientes qui semblent tremper dans le sang. A l'heure où Athènes montre son visage de perle, Léna prend par la main la petite Irini toute frissonnante dans la nacre de ses voiles ; elle gravit avec l'enfant sage les rampes des Propylées... Dix mille flammes de cierges luisent faiblement dans la lumière de l'aube comme autant de feux follets qui n'auraient pas eu le temps de regagner leurs tombes. Hipparque encore ivre de cauchemars cligne des yeux devant toute cette blancheur, examine distraitement la file candide et bleue des Enfants d'Athéna. Brusquement, une ressemblance détestée affleure pour lui sur le visage informe de la petite Irini : le maître devenu fréné-

tique secoue par le bras la jeune
voleuse qui ose s'approprier ces exé-
crables yeux, hurle qu'on chasse loin
de sa vue la sœur du misérable
qui empoisonne ses songes. L'enfant
tombe à genoux ; le panier renversé
répand son contenu rouge ; les larmes brouillent sur le visage de la
fillette la ressemblance abominable et
divine. A l'heure où le ciel est d'or
comme ce cœur inaltérable, la bonne
Léna ramène à la maison l'enfant dé-
coiffée, dépouillée de sa corbeille :
Harmodios éclate de joie devant cette
avanie souhaitée. Léna agenouillée sur
le pavé de la cour, dodelinant la tête
comme une chanteuse de funérailles,
sent se poser sur son front la main de ce
dur garçon qui ressemble à Némésis :
les insultes du tyran, ses menaces qu'elle
répète sans tenter de les comprendre
prennent dans sa voix atone l'horrible
platitude de verdicts sans appel et

du fait accompli. Chaque outrage ajoute au visage d'Harmodios un froncement ou un haineux sourire : en présence de ce dieu qui dédaignait même de s'informer de son nom, elle se grise d'exister, d'être utile, peut-être de faire souffrir. Elle aide Harmodios à mutiler les beaux lauriers de la cour comme si le premier devoir consistait à supprimer toute ombre : elle sort du jardin aux côtés des deux hommes cachant les coutelas de la cuisine au fond de ces bouquets de Pâques Fleuries ; elle referme la porte sur la sieste d'Irini, la cage aux colombes, la boîte de carton où pâturent des cigales, tout le passé devenu aussi profond qu'un songe. La foule endimanchée la sépare de ses maîtres entre lesquels elle ne distingue même plus. Elle s'engage à leur suite le long des chantiers du Parthénon, se heurtant à l'amoncellement de blocs mal dégrossis qui font ressembler le temple de la Vierge à ses décombres futurs. A l'heure où le ciel montre son visage rouge, elle voit les deux amis disparaître dans l'engrenage des colonnes comme au fond d'une machine à broyer le cœur humain pour en extraire un dieu. Des cris, des bombes explosent : le frère aîné d'Hipparque, éventré sur l'autel couvert de sang et de braises, semble offrir ses entrailles à l'examen des prêtres : Hipparque blessé à mort continue à hurler des ordres, s'appuie à une colonne pour ne pas tomber vivant. Les portes des Propylées se ferment pour barrer aux rebelles la seule issue qui ne donne pas sur le vide : les conjurés pris dans cette trappe de marbre et de ciel courant çà et là, trébuchent sur des tas de dieux. Aristogiton blessé à la jambe est capturé par des rabatteurs au fond des grottes de Pan. Le corps lynché d'Harmodios est dépecé par la foule comme celui de Bacchus au cours des messes sanglantes : des adversaires, ou des fidèles peut-être, se passent de main en main cette effrayante hostie. Léna s'agenouille, recueille dans son tablier les boucles de cheveux d'Harmodios, comme si ce service était le plus pressant qu'elle puisse rendre à son maître. Des limiers se jettent sur elle ; on ligote ses mains qui perdent aussitôt leur aspect usagé d'ustensiles de ménage, deviennent des mains de victime, des phalanges de martyre ; elle monte dans la voiture cellulaire comme les morts montent en barque. Elle traverse une Athènes stagnante, gelée par la crainte, où les visages se cachent derrière les volets clos de peur de devoir juger. Elle met pied à terre devant une maison que son aspect d'hôpital et de prison désigne pour le palais du chef de l'État. Sous la porte cochère, elle croise Aristogiton titubant sur ses jambes blessées : elle laisse défiler le peloton d'exécution sans lever sur son maître ses yeux déjà pareils aux pupilles vitrifiées des morts. Le claquement de coups de feu au fond de la cour voisine ne retentit pour elle que comme une salve d'honneur sur la tombe d'Harmodios. On la pousse dans une salle blanchie à la chaux où les torturés prennent l'aspect de bêtes à l'agonie et les bourreaux de vivisecteurs. Hipparque étendu sur une civière tourne vers elle sa tête bandée, prend à tâtons ces mains de femme crispées sur la seule vérité dont il ait encore faim, lui parle si bas, et de si près, que cet interrogatoire a l'air d'une confidence amoureuse. Il exige des noms, des aveux. Qu'a-t-elle vu ? Quels étaient leurs complices ? Le plus âgé des deux servait-il d'entraîneur au plus jeune dans cette course à la mort ? Le boxeur n'était-il qu'un coup de poing dans

la main d'Harmodios ? Était-ce la
peur qui poussait le jeune homme à
se débarrasser d'Hipparque ? Savait-
il que le maître ne le détestait pas,
eût pardonné ? Parlait-il souvent de
lui ? Était-il triste ? Une intimité désespérée s'établit entre cet homme et
cette femme possédés du même dieu,
mourant du même mal, dont les
regards éteints se tournent vers deux
absents. Léna soumise à la question
serre les dents, pince les lèvres. Ses
maîtres se sont tus quand elle passait
les plats ; elle est restée sur le seuil de
leur vie comme une chienne près des
portes. Cette femme vide de souvenirs
s'efforce par orgueil de faire croire
qu'elle sait tout, que ses maîtres lui
ont confié leur cœur comme à une recé-
leuse sur qui l'on peut compter, qu'il
ne dépend que d'elle de cracher leur
passé. Des bourreaux l'étendent sur
un chevalet pour l'opérer de son silence.

On menace cette flamme du supplice de l'eau ; on parle d'infliger le supplice du feu à cette source. Elle redoute la torture qui n'arrachera d'elle que l'humiliant aveu qu'elle n'était qu'une servante et nullement une complice. Un flot de sang lui jaillit de la bouche comme au cours d'une hémoptysie. Elle s'est coupé la langue pour ne pas révéler les secrets qu'elle n'avait pas.

Brûlé de plus de feux... Bête fatiguée, un fouet de flammes me cingle les reins. J'ai retrouvé le vrai sens des métaphores de poètes. Je m'éveille chaque nuit dans l'incendie de mon propre sang.

Je n'ai jamais connu que l'adoration ou la débauche... Qu'est-ce à dire ? Je n'ai jamais connu que l'adoration ou la pitié.

Les chrétiens prient devant la croix,

la portent à leurs lèvres. Ce bout de bois leur suffit, même s'il n'y pend aucun Sauveur. Le respect dû aux suppliciés finit par ennoblir l'ignoble appareil du supplice : ce n'est pas assez aimer les êtres que ne pas adorer leur misère, leur avilissement, leur malheur.

Quand je perds tout, il me reste Dieu. Si j'égare Dieu, je te retrouve. On ne peut pas avoir à la fois l'immense nuit et le soleil.

Jacob luttait avec l'ange dans le pays de Galaad. Cet ange est Dieu, puisque son adversaire sortit vaincu de la lutte, et déhanché par sa défaite. Les échelons de l'escalier d'or ne s'offrent qu'à ceux qui acceptent d'abord ce knock-out éternel. Est Dieu tout ce qui nous passe, tout ce dont nous n'avons pas triomphé. La mort est Dieu, et le monde, et l'idée de Dieu pour l'imbécile boxeur qui se laisse renverser par leur grand battement d'aile. Tu es Dieu : tu pourrais me briser.

Je ne tomberai pas. J'ai atteint le centre. J'écoute le battement d'on ne sait quelle divine horloge à travers la mince cloison charnelle de la vie pleine de sang, de tressaillements et de souffles. Je suis près du noyau mystérieux des choses comme la nuit on est quelquefois près d'un cœur.

MARIE-MADELEINE
OU LE SALUT

Je m'appelle Marie : on m'appelle Madeleine. Madeleine, c'est le nom de mon village : c'est le petit pays où ma mère avait des champs, où mon père avait des vignes. Je suis native de Magdala. A midi, ma sœur Marthe portait des cruchons de bière aux ouvriers de la ferme ; moi, j'allais vers eux les mains vides ; ils lapaient mon sourire ; leurs regards me palpaient comme un fruit presque mûr dont la saveur ne dépend plus que d'un peu de soleil. Mes yeux étaient deux fauves pris au filet de mes cils ; ma bouche quasi noire était une sangsue gonflée de sang. Le colombier regorgeait de colombes, la huche de pain, le coffre de monnaies à l'effigie de César. Marthe s'usait les yeux à marquer mon trousseau aux initiales de Jean. La mère de Jean avait des pêcheries ; le père de Jean avait des vignes. Jean et moi, assis le jour du mariage sous le figuier de la fontaine, sentions déjà sur nous l'intolérable poids de soixante-dix ans de félicité. Les mêmes airs de danse serviraient aux noces de nos filles ; je me sentais déjà lourde des enfants qu'elles allaient porter. Jean venait vers moi du fond de son enfance ; il riait aux anges, ses seuls compagnons ; j'avais repoussé pour lui les offres du centurion romain. Il fuyait la taverne où les prostituées s'agitent comme des vipères aux sons excitants d'une flûte triste ; il détournait les yeux du visage rond des filles de ferme. Aimer son innocence fut mon premier péché. Je ne savais pas que je luttais contre un rival invisible comme notre père Jacob contre l'Ange, et que l'enjeu du combat était ce garçon aux cheveux en désordre où des brins de paille ébauchaient un nimbe. Je ne savais pas qu'un autre avait aimé Jean avant que je ne l'aimasse, avant qu'il ne m'aimât; je ne savais pas que Dieu est le pis-aller des solitaires. Je présidais le banquet de noces dans la chambre des femmes ; les matrones me soufflaient à l'oreille des conseils d'entremetteuses, des recettes de courtisanes; la flûte criait comme une vierge; les tambours percutés retentissaient comme des cœurs; les femmes vautrées dans l'ombre, paquets de voiles, grappes de seins, m'enviaient d'une voix pâteuse le violent bonheur de recevoir l'Époux. Les moutons égorgés dans la cour vagissaient comme les innocents entre les mains des bouchers d'Hérode ; je n'entendis pas au loin le bêlement de l'Agneau ravisseur. Les fumées du soir brouillèrent tout dans la chambre haute ; le jour gris perdit le sens des formes et des couleurs des choses : je ne vis pas, assis parmi les parents pauvres au bas bout de la table des hommes, le blanc vagabond qui communiquait aux jeunes gens, dans un attouchement, dans un baiser, l'horrible espèce de lèpre qui les oblige à se séparer de tout. Je ne devinais pas la présence du Séducteur qui rend le renoncement aussi doux qu'un péché. On ferma des portes ; on brûla des parfums pour stupéfier les diables ; on nous laissa seuls. En levant les yeux, je m'aperçus que Jean n'avait fait que traverser sa fête de noces comme une place encombrée par une réjouissance publique. Il ne tremblait que de douleur ; il n'était pâle que de honte ; il ne craignait qu'une défaillance de l'âme impuissante à posséder Dieu. J'étais incapable de distinguer sur le visage de Jean la grimace du dégoût de celle du désir : j'étais vierge, et d'ailleurs toute femme qui aime n'est qu'une pauvre innocente. J'ai compris plus tard que je représentais pour lui la pire faute charnelle, le péché légitime, approuvé par l'usage, d'autant plus vil qu'il est permis d'y rouler sans honte, d'autant plus redoutable qu'il n'encourt pas de condamnation. Il avait choisi en moi la mieux voilée des filles qu'il pût courtiser avec l'espoir secret de ne jamais l'obtenir ; j'expliquais son dégoût des proies plus accessibles ; assise sur ce lit, je n'étais plus qu'une femme facile. L'impossibilité où il était de m'aimer créait entre nous

une similitude plus forte que ces con-
trastes du sexe qui servent entre deux
êtres humains à détruire la confiance, à
justifier l'amour : tous deux, nous dési-
rions céder à une volonté plus forte
que la nôtre, nous donner, être pris :
nous allions au-devant de toutes les
douleurs pour l'enfantement d'une
nouvelle vie. Cette âme aux longs
cheveux courait vers un Époux. Il
appuyait son front à la vitre de plus en
plus ternie par la buée de son souffle :
les yeux las des étoiles ne nous épiaient
même plus ; une servante aux aguets
de l'autre côté du seuil prenait peut-
être mes sanglots pour des hoquets
d'amour. Une voix s'éleva dans la nuit
appelant Jean à trois reprises, comme
il arrive devant les maisons où quelqu'un va mourir : Jean ouvrit la
fenêtre, se pencha pour jauger la pro-
fondeur de l'ombre, vit Dieu. Je ne vis
que les ténèbres, c'est-à-dire Son man-

teau. Jean arracha les draps du lit,
les noua pour s'en faire une corde ;
des mouches de feu palpitaient à terre
comme des astres, de sorte qu'il avait
l'air de s'enfoncer dans le ciel. Je
perdis de vue ce transfuge incapable de
préférer une femme à la poitrine de
Dieu. J'ouvris prudemment la porte de
ma chambre où ne s'était passé qu'un
départ ; j'enjambai les convives ron-
flant dans le vestibule ; je pris à la pa-
tère le capuchon de Lazare. La nuit
était trop noire pour chercher sur le sol
la trace de plantes divines ; les pavés
où je butais n'étaient pas ceux que
j'avais sautés à cloche-pied à la sortie
de l'école ; j'apercevais pour la première fois les maisons comme les voient
du dehors celles qui n'ont pas de foyer.
Au coin des ruelles mal famées, des
conseils obscènes suintaient de nouveau de la bouche sans dents des ma-
querelles ; des vomissements d'ivro-

gnes sous les arcades des halles me rap-
pelèrent les flaques de vin du festin de
noces. Pour échapper au guet, je cou-
rus le long des galeries de bois de l'auberge jusqu'à la chambre du lieute-
nant romain. Cette brute vint m'ouvrir, ivre encore des santés portées en
mon honneur à la table de Lazare ;
il me prit sans doute pour une des cou-
reuses avec lesquelles il avait l'habitude de coucher. Je maintins sur mon
visage mon capuchon de laine noire ;
je fus plus facile quand il s'agit de mon
corps : lorsqu'il me reconnut, j'étais
déjà Marie-Madeleine. Je lui cachai
que Jean m'avait abandonnée le soir
de ma fête nuptiale, de peur qu'il ne se
crût obligé de verser dans le vin de son
désir l'eau fade de sa pitié. Je lui laissai
croire que j'avais préféré ses bras velus
aux longues mains toujours jointes de
mon pâle fiancé : je gardai à Jean le
secret de sa fugue avec Dieu. Les

enfants du village découvrirent où
j'étais ; on me jeta des pierres. Lazare
fit curer la mare du moulin, croyant y
repêcher le cadavre de Jean ; Marthe
baissait la tête en passant devant l'auberge ; la mère de Jean vint me demander compte du prétendu suicide de son
fils unique : je ne me défendis pas, trou-
vant moins humiliant de leur laisser
croire à tous que ce disparu m'avait
follement aimée. Le mois suivant,
Marius reçut l'ordre de rejoindre à
Gaza la deuxième division de Pales-
tine ; je ne pus trouver l'argent nécessaire pour prendre dans le char de feu
une de ces places de troisième classe
réservées de tout temps aux prophètes,
aux misérables, aux permissionnaires,
aux Messies. L'aubergiste me garda
pour essuyer les verres : j'appris de mon
patron la cuisine du désir. Il m'était
doux que la femme dédaignée par
Jean tombât sans transition au dernier

rang des créatures : chaque coup,
chaque baiser me modelaient un visage,
une gorge, un corps différent de celui
que mon ami n'avait pas caressé. Un
chamelier bédouin consentit à me con-
duire à Jaffa contre un salaire d'é-
treintes ; un patron marseillais me prit
sur son navire : couchée à la poupe, je
me laissais gagner par le chaud tremblement de la mer écumante. Dans un
bar du Pirée, un philosophe grec m'en-
seigna la sagesse comme une débauche
de plus. A Smyrne, les largesses d'un
banquier m'apprirent ce que le chancre
de l'huître et le poil des bêtes fauves
ajoutent de douceur à la peau d'une
femme nue, de sorte que je fus enviée
en même temps que convoitée. A Jéru-
salem, un pharisien m'habitua à user
de l'hypocrisie comme un fard inaltérable. Au fond d'un bouge de Césarée,
un paralytique guéri me parla de Dieu.
En dépit des supplications des anges

qui s'efforçaient sans doute de le ramener au ciel, Dieu continuait à rôder
de village en village, bafouant les prêtres, insultant les riches, mettant la
brouille dans les familles, excusant la
femme adultère, exerçant partout son
scandaleux métier de Messie. L'éternité même a son heure de vogue :
à l'un de ces mardis où il n'invitait
que des gens célèbres, Simon le Pharisien eut l'idée de prier Dieu. Je n'avais
tant roulé que pour donner à ce terrible
Ami une rivale moins naïve : séduire
Dieu, c'était enlever à Jean son support éternel ; c'était l'obliger à retom-
ber sur moi de tout le poids de sa
chair. Nous péchons parce que Dieu
n'est pas : c'est parce que rien de par-
fait ne se présente à nous que nous
prenons les créatures. Dès que Jean
comprendrait que Dieu n'était qu'un
homme, il n'aurait plus de raison de
ne pas lui préférer mes seins. Je me

parai comme pour un bal ; je me par-
fumai comme pour un lit. Mon entrée
dans la salle du banquet arrêta les
mâchoires ; les Apôtres se levèrent en
tumulte de peur d'être infectés par
le frôlement de ma jupe : aux yeux
de ces gens de bien, j'étais impure
comme si j'avais continuellement saigné. Dieu seul était resté couché sur
la banquette de cuir : d'instinct, je
reconnus ces pieds usés jusqu'à l'os
à force d'avoir marché sur tous les
chemins de notre enfer, ces cheveux
peuplés d'une vermine d'astres, ces
vastes yeux purs comme les seuls mor-
ceaux qui lui restaient de son ciel.
Il était laid comme la douleur ; il
était sale comme le péché. Je tombai à
genoux, ravalant mon crachat, incapable d'ajouter un sarcasme à l'horrible poids de cette détresse de Dieu.
Je vis tout de suite que je ne pourrais
le séduire puisqu'il ne me fuyait pas.

Je défis ma chevelure comme pour mieux couvrir la nudité de ma faute ; je vidai devant lui la fiole de mes souvenirs. Je comprenais que ce Dieu hors la loi avait dû se glisser un matin hors des portes de l'aube, laissant derrière lui les personnes de la Trinité étonnées de n'être plus que deux. Il avait pris pension dans l'auberge des jours ; il s'était prodigué à d'innombrables passants qui lui refusaient leur âme, mais réclamaient de lui toutes les tangibles joies. Il avait supporté la compagnie de bandits, le contact des lépreux, l'insolence des hommes de police : il consentait comme moi à l'affreux destin d'être à tous. Il posa sur ma tête sa grande main de cadavre qui semblait déjà vide de sang : on ne fait jamais que changer d'esclavage : au moment précis où les démons me quittèrent, je suis devenue la possédée de Dieu. Jean s'effaça de ma vie comme si l'Évangéliste pour moi n'avait été que le Précurseur : en face de la Passion, j'ai oublié l'amour. J'ai accepté la pureté comme une pire perversion : j'ai passé des nuits blanches, grelottante de rosée et de larmes, étendue en plein champ au milieu des Apôtres, tas de moutons transis amoureux du Pasteur. J'ai envié les morts, sur lesquels les prophètes se couchent pour les ressusciter. J'ai aidé le divin rebouteux dans ses cures merveilleuses : j'ai frotté de la boue dans les yeux des aveugles-nés. J'ai laissé Marthe trimer à ma place le jour du repas de Béthanie, de peur que Jean ne vînt s'asseoir contre les genoux célestes sur l'escabeau que j'aurais quitté. Mes larmes, mes cris, ont obtenu de ce doux thaumaturge la seconde naissance de Lazare : ce mort emmailloté de bandelettes, faisant ses premiers pas sur le seuil de sa tombe, était presque notre enfant. J'ai racolé pour lui des disciples ; j'ai trempé mes mains pâles dans l'eau de vaisselle de la Sainte-Cène ; j'ai fait le guet au square des Oliviers pendant que s'accomplissait le coup de la Rédemption. Je l'ai tant aimé que j'ai cessé de le plaindre : mon amour prenait soin d'aggraver cette détresse qui, seule, le faisait Dieu. Pour ne pas ruiner sa carrière de Sauveur, j'ai consenti à le voir mourir comme une maîtresse consent au beau mariage de l'homme qu'elle aime : dans la salle des Pas Perdus, quand Pilate nous a donné le choix entre un cambrioleur et Dieu, j'ai crié comme les autres pour qu'on délivrât Barrabas. Je l'ai vu se coucher sur le lit vertical de sa noce éternelle : j'ai assisté à la terrible liaison des cordes, au baiser de l'éponge encore imprégnée d'une amertume marine, au coup de lance du soldat s'efforçant de percer le cœur de ce vampire sublime, de peur qu'il ne se relevât pour sucer tout l'avenir. J'ai senti frémir sur mon front ce doux rapace cloué à la porte des Temps. Un vent de mort creusait le ciel lacéré comme une voile ; le monde penchait du côté du soir, entraîné par le poids de la croix. Le pâle capitaine pendait aux vergues du trois-mâts submergé par la Faute : le fils du charpentier expiait les erreurs de calcul de son Père éternel. Je savais que rien de bon ne naîtrait de son supplice : le seul résultat de cette exécution serait d'apprendre aux hommes qu'on peut se défaire de Dieu. Le divin condamné ne répandait sur terre que d'inutiles semences de sang. Les dés plombés du Hasard tressautaient vainement dans le poing des sentinelles : les lambeaux de la Robe infinie ne suffisaient à personne pour s'en faire un vêtement. En vain, j'ai versé sur ses pieds l'onde oxygénée de ma chevelure ; en vain, j'ai tenté de consoler la seule mère qui ait conçu Dieu. Mes cris de femme et de chienne n'arrivaient pas jusqu'à mon maître mort. Les larrons du moins partageaient la même peine : au pied de cet axe par où passait toute la douleur du monde, je n'avais pu que troubler son dialogue avec Dimas. On dressa des échelles : on hala des cordes. Dieu se détacha comme un fruit mûr, déjà prêt à pourrir dans la terre de la tombe. Pour la première fois, sa tête inerte accepta mon épaule ; le jus de son cœur poissait nos mains rouges comme au temps des vendanges ; Joseph d'Arimathie nous précédait, portant une lanterne ; Jean et moi, nous fléchissions sous ce corps plus lourd que l'homme ; des soldats nous aidèrent à mettre une meule de pierre sur la bouche du tombeau. Nous ne rentrâmes en ville que dans le froid du soleil couché. Nous retrouvions avec stupeur les boutiques, les théâtres, l'insolence des garçons de taverne, les journaux du soir pour qui la Passion servait de fait divers. La nuit se passa à choisir les plus beaux de mes draps de courtisane ; au petit matin, j'envoyai Marthe acheter au plus juste ce qu'elle trouverait de parfums. Les coqs chantaient comme s'ils tenaient à raviver le repentir de Pierre : étonnée qu'il fît jour, je suivais une route de banlieue où des pommiers rappelaient la Faute et des vignes la Rédemption. Bien que le vent vînt du Nord, on ne sentait pas l'odeur du cadavre de Dieu. Guidée par un souvenir, ange incorruptible, j'entrai dans cette caverne creusée au plus profond de moi-même ; je m'approchai de ce corps comme de ma propre tombe. J'avais renoncé à tout espoir de Pâque, à toute promesse de résurrection. Je ne m'aperçus pas que la meule du pressoir était fendue dans toute sa longueur à la suite de quelque fermentation divine : Dieu s'était levé de la mort comme d'une couche d'insomnie : la tombe défaite laissait pendre ses draps mendiés au jardinier. Pour la seconde fois de ma vie, je me trouvais devant un lit où ne dormait qu'un absent. Les grains d'encens roulèrent sur le sol du sépulcre, tombèrent au fond de la nuit. Les murs me renvoyèrent mon hurlement de goule inassouvie ; en sortant hors de moi, je me cognai le front à la pierre du linteau. La neige des narcisses était restée vierge de toute empreinte humaine : ceux qui venaient de voler Dieu avaient marché dans le ciel. Le jardinier courbé sur le sol sarclait une plate-bande : il leva la tête sous son grand chapeau de paille qui l'auréolait de soleil et d'été ; je tombai à genoux, envahie par ce doux tremblement des

femmes amoureuses qui croient sentir
se répandre dans tout leur corps la
substance de leur cœur. Il avait sur
l'épaule le râteau qui lui sert à effacer
nos fautes : il tenait à la main le peloton de fil et le sécateur confiés par les
Parques à leur frère éternel. Il se pré-
parait peut-être à descendre aux Enfers
par la route des racines. Il savait le
secret du remords des orties, de l'agonie
du ver de terre : la pâleur de la mort
était restée sur lui, de sorte qu'il avait
l'air de s'être déguisé en lys. Je devinais
que son premier geste serait pour écarter de lui cette pécheresse contaminée
par le désir. Je me sentais limace dans
cet univers de fleurs. L'air était si frais
que mes paumes levées eurent la sensation de s'appuyer à une glace :
mon maître mort avait passé de l'autre
côté du miroir du Temps. La buée de
mon haleine brouilla la grande image :
Dieu s'effaça comme un reflet sur la

vitre du matin. Mon corps opaque n'était pas un obstacle pour ce Ressuscité. Un craquement se fit entendre. peut-être au fond de moi-même : je tombai les bras en croix, entraînée par le poids de mon cœur : il n'y avait rien derrière la glace que je venais de briser. J'étais de nouveau plus vide qu'une veuve, plus seule qu'une femme quittée. Je connaissais enfin toute l'atrocité de Dieu. Dieu ne m'avait pas que volé l'amour d'une créature, à l'âge où l'on se figure qu'elles sont irremplaçables, Dieu m'avait pris jadis mes nausées de grossesse, mes sommeils d'accouchée, mes siestes de vieille femme sur la place du village, la tombe au fond de l'enclos où mes enfants m'auraient couchée. Après mon innocence, Dieu m'a soustrait mes fautes : quand je débutais à peine dans l'état de courtisane, il m'a enlevé mes chances de monter sur la

scène ou de séduire César. Après son
cadavre, il m'a pris son fantôme : il
n'a même pas voulu que je me saoule
d'un songe. Comme le pire jaloux, il a
détruit cette beauté qui m'exposait
aux rechutes sur les lits du désir : mes
seins pendent ; je ressemble à la Mort,
cette vieille maîtresse de Dieu. Comme
le pire maniaque, il n'a aimé que mes
larmes. Mais ce Dieu qui m'a tout pris
ne m'a pas tout donné. Je n'ai reçu
qu'une miette de l'amour infini :
comme la première venue, j'ai partagé
son cœur avec les créatures. Mes
amants d'autrefois se couchaient sur
mon corps sans se soucier de mon âme :
mon céleste ami de cœur n'a eu soin de
réchauffer que cette âme éternelle, de
sorte qu'une moitié de moi n'a pas cessé
de souffrir. Et cependant, il m'a sauvée.
Grâce à lui, je n'ai eu des joies que
leur part de malheur, la seule inépui-
sable. J'échappe aux routines du

ménage et du lit, au poids mort de l'argent, à l'impasse du succès, au contentement de l'honneur, aux charmes de l'infamie. Puisque ce condamné à l'amour de Madeleine s'est évadé dans le ciel, j'évite la fade erreur d'être nécessaire à Dieu. J'ai bien fait de me laisser rouler par la grande vague divine ; je ne regrette pas d'avoir été refaite par les mains du Seigneur. Il ne m'a sauvée ni de la mort, ni des maux, ni du crime, car c'est par eux qu'on se sauve. Il m'a sauvée du bonheur.

Quand je te revois, tout redevient limpide. J'accepte de souffrir.

Et tu t'en vas ? Tu t'en vas ?... Non, tu ne t'en vas pas : je te garde... Tu me laisses dans les mains ton âme comme un manteau.

Prochain ? Non, tu es proche. Je te plains comme moi-même.

*
* *

J'ai connu des jeunes gens sortis du
monde des dieux. Leurs gestes faisaient
penser aux trajectoires des astres ; on
ne s'étonnait pas de trouver insensible
leur dur cœur de porphyre ; s'ils tendaient la main, la rapacité de ces mendiants exquis était un vice de dieux.
Comme tous les dieux, ils accusaient
d'inquiétantes parentés avec les loups,
les chacals, les vipères : guillotinés, ils
eussent pris l'aspect blême des marbres
décapités. Des femmes, des jeunes filles
viennent du monde des Madones : les
pires allaitent l'espérance comme un
enfant promis aux crucifixions futures.
Certains de mes amis sortent du monde
des sages, d'une sorte d'Inde ou de
Chine intérieure : l'univers autour
d'eux se dissipe en fumées, près de
ces froids étangs où se mire l'image

des choses, les cauchemars rôdent
comme des tigres domptés. Amour, ma
dure idole, tes bras tendus vers moi
sont des vertèbres d'ailes. J'ai fait de
toi ma Vertu ; j'accepte de voir en toi
une Domination, une Puissance. Je me
confie à ce terrible avion propulsé par
un cœur. Le soir, dans les bouges où
nous traînons ensemble, ton corps nu
semble un Ange chargé de veiller ton
âme.

Mon Dieu, je remets mon corps entre
vos mains.

On dit : fou de joie. On devrait dire :
sage de douleur.

Posséder, c'est la même chose que

connaître : l'Écriture a toujours raison. L'amour est sorcier : il sait les secrets ; il est sourcier, il sait les sources. L'indifférence est borgne ; la haine est aveugle ; elles trébuchent côte à côte dans le fossé du mépris. L'indifférence ignore ; l'amour sait ; il épelle la chair. Il faut jouir d'un être pour avoir l'occasion de le contempler nu. Il m'a fallu t'aimer pour comprendre que la plus médiocre ou la pire des personnes humaines est digne d'inspirer là-haut l'éternel sacrifice de Dieu.

Il y a six jours, il y a six mois, il y a eu six ans, il y aura six siècles... Ah ! mourir pour arrêter le Temps...

PHÉDON
OU LE VERTIGE

Écoute, Cébès... Je te parle à voix basse, car c'est seulement lorsque nous parlons à voix basse que nous nous écoutons nous-mêmes. Je vais mourir, Cébès. Ne secoue pas la tête : ne me dis pas que tu le sais, et que nous mourrons tous. Le temps ne vous coûte rien, à vous, les philosophes : il existe pourtant, puisqu'il nous sucre comme des fruits et nous dessèche comme des herbes. Pour ceux qui aiment, le temps

n'est plus, car les amants se sont arra-
ché le cœur pour le donner à ceux
qu'ils aiment ; et c'est pourquoi ils sont
insensibles aux milliers d'hommes et
de femmes qui ne sont pas leur amour ;
et c'est pourquoi ils pleurent et se dé-
sespèrent avec sécurité. Et c'est au ra-
lentissement de ces sanglantes horloges
que ceux qui sont aimés voient appro-
cher la vieillesse et la mort. Pour ceux
qui souffrent, le temps n'est pas ; il
s'annule à force de se précipiter, car
chaque heure d'un supplice est une
tempête de siècles. Chaque fois qu'une
douleur venait à moi, je me hâtais de
lui sourire pour qu'elle sourît en retour,
et toutes prenaient le visage radieux
d'une femme d'autant plus belle qu'on
ne s'était pas jusque-là aperçu de sa
beauté. Je sais de la douleur ce qu'enseigne son contraire, comme je tiens de
la vie le peu de clartés que j'ai déjà sur
la mort. **Comme Narcisse dans la**

source, je me suis miré dans les pru-
nelles humaines : l'image que j'y voyais
était si rayonnante que je me savais
gré de donner tant de bonheur. Je connais de l'amour le peu que m'ont appris
les yeux qui m'ont aimé. Jadis, en
Élide, entouré d'un murmure de gloire,
j'ai mesuré les progrès de mon adolescence aux sourires de plus en plus
tremblants qui palpitaient à mon côté.
Couché sur le passé de ma race comme
sur une terre féconde, j'étais revêtu de
ma richesse comme d'une couverture
d'or. Les astres tournaient comme des
phares ; les fleurs devenaient fruits ; le
fumier devenait fleur ; les êtres accou-
plés passaient comme des forçats ou
des mariés de village : le fifre du désir,
le tambour de la mort rythmaient leur
valse triste qui jamais ne manquait de
danseurs. Leur route qu'ils croyaient
droite paraissait circulaire au jeune
garçon couché au centre de l'avenir.

Mes cheveux palpitaient ; mes cils re-
couvraient mes yeux à jamais prison-
niers de mes paupières ; mon sang coulait en mille détours comme ces fleuves
souterrains qui semblent noirs aux yeux
nocturnes des ombres, mais se révé-
leraient rouges si jamais le soleil se
levait chez les morts. Mon sexe tres-
saillait comme un oiseau en quête d'un
sombre nid. Ma croissance faisait éclater autour de moi l'espace comme une
écorce bleue. Je me mis debout : mes
mains repoussées par des murs de collège se tendaient dans la nuit, tâchaient
de cueillir des Signes ; le mouvement
naissait en moi comme une gravitation
divine; la pluie de printemps ruisselait
sur mon tronc nu. Mes plantes restaient mon seul point de contact avec
la terre fatale qui me reprendrait un
jour. Ivre de vie, titubant d'espérance,
pour ne pas tomber, je me raccrochais
aux épaules lisses et douces de compa-

gnons de jeux qui passaient par hasard:
nous tombions ensemble ; et c'est cette
mêlée que nous appelions l'amour. Mes
frêles bien-aimés n'étaient pour moi
que des cibles que je me devais de frapper au cœur, de jeunes chevaux qu'il
s'agissait de flatter d'un lent déplace-
ment de main caressant l'encolure, jusqu'à faire transparaître sous la pâle
moire du derme le tissu rouge du sang.
Et les plus beaux, Cébès, n'étaient que
le prix ou le butin de la victoire, la
douce coupe offerte où verser toute sa
vie. D'autres encore furent des haies,
des obstacles, des fosses dissimulées
derrière des fascines vertes. Je partis
pour Olympie sous la garde d'un péda-
gogue aveugle : je gagnai le prix au
concours des enfants : les fils d'or de
bandelettes, subitement invisibles, se
perdirent dans mes cheveux. Mon poing
soulevait le disque dont l'élan dessinait
entre mon but et moi la pure courbe

d'une aile ; dix mille poitrines humaines haletaient au geste de mon bras nu. La nuit, couché sur le toit de la maison paternelle, je regardais les astres tournoyer dans un stade olympique couvert de sable sombre, mais je ne cherchais pas à compter mon avenir. Mes jours futurs paraissaient déborder de caresses de lutteurs, de coups de poing amicaux, de chevaux galopant vers on ne sait quel Bonheur. Soudain, des clameurs éclatèrent sous les murs de ma cité natale ; un voile de fumée couvrit la face du ciel. Des colonnes de feu remplacèrent les colonnes de pierre. Le bruit de la vaisselle tombant avec fracas couvrit dans la cuisine le cri des servantes violées ; une lyre brisée gémit comme une vierge dans les bras d'un homme ivre. Mes parents disparurent dans les ruines poissées de sang. Tout chancela, tout tomba, tout fut anéanti sans que je sache s'il s'agit d'un vrai

siège, d'un incendie réel, d'un massacre
véritable, ou si ces ennemis n'étaient
que des amants, et ce qui prenait feu
n'était autre que mon cœur. Pâle, nu,
mirant ma honte dans des boucliers
d'or, je savais gré à ces beaux adversaires de piétiner mon passé. Tout finit
par des coups de fouet et des scènes
d'esclavage : c'est là aussi, Cébès, une
des conséquences de l'amour. L'espoir
du gain avait attiré les marchands dans
la ville prise d'assaut ; j'étais debout
sur la place publique : le monde avec
ses plaines, ses collines où mes chiens
ne poursuivraient plus les cerfs, ses
vergers pleins de fruits dont je ne dis-
posais plus, ses vagues où mon repos ne
voguerait plus mollement sur la soie
violette, tournait autour de moi comme
une roue gigantesque dont j'étais le
supplicié. L'aire poudreuse du marché
n'était qu'un seul amas de bras, de
jambes, de seins que fouillait le fer des

lances ; la sueur et le sang coulaient sur
mon visage qui paraissait sourire parce
que le soleil me faisait grimacer. De
noires croûtes de mouches collaient à
nos brûlures. L'insupportable chaleur
du sol m'obligeait à soulever l'un après
l'autre mes pieds nus, de sorte qu'à
force d'horreur j'avais l'air de danser.
Je fermais les yeux, pour ne plus voir
mon image dans les pupilles obscènes :
j'aurais voulu détruire en moi l'ouïe
pour ne plus entendre commenter bas-
sement les aspects de ma beauté ; me
boucher les narines, pour ne pas humer
la puanteur des âmes, si forte que
l'odeur des cadavres est près d'elle un
parfum ; perdre enfin toute saveur,
pour ne pas sentir dans ma bouche le
goût répugnant de ma docilité. Mais
mes deux mains liées m'empêchaient
de mourir. Un bras se glissa autour de
mon épaule, pour me soutenir, non
pour me caresser ; les liens de mes

jambes tombèrent : saoul de soif et de soleil, je suivis cet inconnu hors du charnier où périraient ceux que la honte même n'avait pas acceptés. J'entrai dans une maison dont les murs de terre battue retenaient en eux un peu de boueuse fraîcheur ; un tas de paille me fut offert pour lit. L'homme qui m'avait acheté me soutint la tête pour me faire boire la seule gorgée d'eau que l'outre contenait encore. Je crus d'abord à de l'amour : mais ses mains ne s'attardaient sur mon corps que pour panser mes plaies. Puis, comme il pleurait en me frottant d'un baume, je crus à de la bonté. Mais je me trompais, Cébès : mon sauveur était marchand d'esclaves : il pleurait parce que mes cicatrices l'empêcheraient de me revendre au plus haut prix dans les bordels d'Athènes ; il se privait de m'aimer de peur de trop s'attacher à un objet fragile, dont il faut se défaire au plus vite pendant le temps de sa fraîcheur. Car les vertus, Cébès, n'ont pas toutes les mêmes causes et toutes ne sont pas belles. Cet homme m'emmena rejoindre à Corinthe sa cargaison d'esclaves ; il me loua un cheval pour m'épargner les pieds. Il ne put empêcher qu'une partie de ses bêtes ne se noyât en traversant un gué par temps d'orage ; nous dûmes faire sans monture la longue route enflammée qui suit l'Isthme de Corinthe ; chacun de nous, penché vers le sol jusqu'à toucher son ombre, portait le soleil comme un pesant fardeau. Au détour d'un bois de pins, l'horizon s'ouvrit pour nous montrer Athènes : la ville couchée comme une jeune fille s'étendait pudiquement entre la mer et nous. Le temple sur la colline dormait comme un dieu rose. Mes pleurs, que le malheur n'avait pas pu faire naître, coulèrent pour la beauté. Nous pas-

sâmes le même soir sous la Porte
Dipyle : les rues sentaient l'urine,
l'huile rance, et la poussière colportée
par le vent. Des marchands de lacets
hurlaient dans les carrefours, propo-
sant aux passants une chance de
s'étrangler dont ils ne profitaient pas.
Les murs des maisons me cachaient
le Parthénon. Une lanterne brûlait
sur le seuil de la maison de femmes :
toutes les chambres regorgeaient de
tapis et de miroirs d'argent. Le luxe
de ma prison me fit craindre d'être
obligé d'y demeurer toujours. Je me
glissai pour danser dans la petite salle
ronde meublée de tables basses, plus
ému que le matin du concours dans
la lice d'Olympie. Enfant, j'avais dansé
sur des prairies pleines de narcisses
sauvages, choisissant les plus frais pour
y poser les pieds. Je dansais sur des
crachats, sur des écorces d'orange, sur
des débris de verres que les ivrognes

avaient laissé tomber. Mes ongles
peints reluisaient dans le cercle des
lampes ; la buée des viandes chaudes
et la vapeur des lèvres m'empêchaient
de voir le visage des clients assez dis-
tinctement pour me mettre à les haïr.
J'étais un spectre nu dansant pour des
fantômes. A chaque coup de talon sur
le plancher sali, j'enfonçais plus avant
mon passé, mon avenir de jeune
prince : ma danse désespérée foulait
aux pieds Phédon. Un soir, un homme
aux lèvres blondes vint s'asseoir à une
table placée en pleine lumière : je
n'eus pas besoin des flatteries du tenancier pour reconnaître en lui un membre
de l'Olympe humain. Il était beau
comme moi, mais la beauté n'était
qu'un attribut de cet être innombrable
à qui l'immortalité seule manquait
pour être dieu. Toute la nuit, ce jeune
homme un peu ivre me regarda danser.
Il revint le lendemain, mais il n'était

plus seul. Le petit vieillard pansu qui l'accompagnait ressemblait à un de ces fouets qu'une charge de plomb maintient debout en dépit des assauts des enfants pour les faire culbuter. On sentait que ce gros homme rusé avait son centre de gravité, son axe, sa densité propre que ne modifiaient pas les efforts de ses contradicteurs : l'Absolu, où il s'était placé par un bond prodigieux de ses jambes de satyre, servait de piédestal à ce personnage concret comme un tronc d'arbre, idéal comme une caricature, qui se suffisait au point d'être devenu son propre créateur. La raison n'était pour ce sophiste qu'une sorte de pur espace où il ne se lassait pas de faire tourner les formes : Alcibiade était dieu, mais ce vagabond des rues semblait être Univers. On cherchait sous son manteau râpé les pieds du Bouc céleste. Cet homme gonflé de sagesse roulait de

gros yeux pâles pareils à des lentilles
où les vertus et les défauts des âmes
apparaissaient grandis. La fixité de son
regard semblait raffermir les muscles
de mes jambes, les os de mes chevilles,
comme si j'avais eu aux talons les
ailes de sa pensée. Devant ce Pan
tailladé par un sculpteur grossier, qui
jouait sur les flûtes de la raison les
mélodies de la vie éternelle, ma danse
cessait d'être un prétexte pour devenir
une fonction, comme la marche des
astres ; et comme la sagesse aux yeux
des débauchés est le délire suprême,
les spectateurs pris de vin virent dans
ma légèreté le comble de l'excès. Alcibiade frappa dans ses mains pour appe-
ler le tenancier de la maison de danses :
mon patron s'avança, arrondissant la
paume pour toucher un peu d'or.
Cet homme à l'aise dans l'immonde
n'escomptait pas seulement un profit
de quelques drachmes : chaque vice

flairé par lui au fond de l'argile
humaine lui procurait à la fois l'espoir
d'une bonne affaire et le sentiment
réconfortant d'une basse fraternité. Mon
maître me héla pour permettre aux
clients d'apprécier la marchandise
vivante : je m'assis à leur table, retrou-
vant d'instinct mes gestes d'enfant libre,
auprès de ce jeune homme qui ressemblait à mon orgueil perdu. Ayant épuisé
les pièces de monnaie d'or que contenait sa ceinture, Alcibiade pour m'acheter détacha deux de ses lourds bracelets. Il s'embarquait le lendemain
pour la guerre de Sicile : je rêvais
déjà d'interposer ma poitrine entre le
risque et lui comme un doux bouclier.
Mais ce jeune dieu distrait ne m'avait
acquis que pour plaire à Socrate :
pour la première fois de ma vie,
je me sentis repoussé ; ce refus humiliant me livrait à la Sagesse. Nous sor-
tîmes tous trois dans la rue ravinée par

le dernier orage : Alcibiade disparut dans le tonnerre d'un char ; Socrate prit sa lanterne, et cette maigre étoile se montra plus secourable que les yeux froids du ciel. Je suivis mon nouveau maître dans sa petite maison où une femme débraillée l'attendait, la bouche gonflée d'injures ; des enfants mal peignés piaillaient dans la cuisine ; la vermine envahissait les lits. La pauvreté, la vieillesse, sa propre laideur et la beauté des autres flagellaient ce Juste de leurs courroies de vipères : il n'était comme nous tous qu'un esclave condamné à mort. Il sentait peser sur lui la bassesse des affections de famille, qui ne sont le plus souvent qu'une absence de respect. Mais au lieu de s'affranchir à force de renoncements, immobile comme un cadavre qui craint de heurter du front le plafond de sa tombe, cet homme avait compris que le destin n'est qu'un moule creux où nous versons notre âme, et que la vie et la mort nous acceptent pour sculpteurs. Ce fainéant imitait tour à tour son père le marbrier et sa mère la sage-femme : accoucheur, il délivrait les âmes ; statuaire, couvert d'objections comme d'une poussière de marbre, il dégageait des tendres blocs humains une effigie divine. Sa sagesse multiple comme les aspects des choses compensait pour lui les joies du débauché, les triomphes de l'athlète, les dangers excitants du chercheur d'aventures sur la mer du hasard. Pauvre, il jouissait des richesses qu'il aurait possédées, s'il ne s'était voué à des gains invisibles ; chaste, il goûtait chaque soir la saveur des débauches qu'il se serait offertes, s'il les avait jugées profitables à Socrate ; laid, il usait purement de la juste beauté dont le hasard avait paré Charmide, de sorte que le corps quasi grotesque où le destin avait logé son âme n'était plus qu'une des formes, pas plus précieuse que d'autres, du Socrate infini. Pareille à celle du dieu qui peut-être fait les mondes, sa part de liberté, c'était ses créatures. Il avait compris que le tourbillon emportant mes pieds nus s'apparentait à l'immobilité de ses secrètes extases : je l'ai vu debout, indifférent aux astres qui tournaient sans accroître son vertige, forme noire ramassée sur la claire nuit attique, supporter sans faiblir l'atroce bise glacée qui souffle des profondeurs de Dieu. J'ai suivi le matin le long des champs de lavande cet entremetteur sublime qui présentait chaque jour à la jeunesse d'Athènes de nouvelles vérités nues. Je l'ai escorté le long du portique Royal où la mort hululait pour lui comme une chouette sous la forme d'Anytus. La ciguë avait grandi dans un recoin de la campagne aride : un

potier de l'Agora avait pétri la coupe
où le poison serait versé ; les calomnies
avaient eu le temps de mûrir au soleil
du Mépris. J'étais seul dans le secret
de la lassitude du sage : seul, je l'avais
vu se lever de son misérable lit, et se
pencher en haletant pour chercher ses
sandales. Mais la simple fatigue n'eût
pas fait renoncer à son reste de souffle
cet homme de septante ans. Ce vieillard qui toute sa vie avait troqué une
claire vérité contre une vérité plus
éclatante encore, un beau visage aimé
contre un autre plus beau, trouvait
enfin à échanger la mort banale et
lente que lui préparaient au-dedans ses
artères, contre une mort plus utile,
plus juste, engendrée par ses actes, née
de lui comme une fille dévouée qui vien-
drait le border dans son lit à la tombée
du soir. Cette mort assez solide pour
durer quelques siècles autour de son
souvenir s'insérait dans la suite d'actes

bons qu'avait été sa vie, et prolongeait sa route vers une vie éternelle. Il était juste qu'Athènes élevât sur le dur tuf des Lois des temples chaque jour plus fiers à des divinités d'heure en heure plus parfaites ; et il était juste que lui, le contempteur, assis sous ces portiques moins beaux qu'une pensée pure, enseignât aux jeunes hommes à ne se fier qu'à leur âme. Il était juste qu'un serviteur en deuil vînt sur l'ordre des Héliastes lui tendre la coupe pleine d'une liqueur amère ; et il était juste aussi que cette paisible mort fît tache dans tant d'azur, et ne servît pourtant qu'à le faire paraître plus bleu. Sans doute, la Mort avait pour lui plus de charmes qu'Alcibiade, puisqu'il ne l'empêchait pas de se glisser dans son lit. C'était un soir dans la saison de l'année où les jeunes mendiants ont les mains pleines de roses, à l'heure où le soleil couvre Athènes de baisers avant de lui dire adieu. Une barque regagnait le port, repliant ses deux ailes, blanche comme le cygne du dieu que les pèlerins étaient allés prier. La geôle était creusée dans le flanc d'un rocher ; la porte ouverte laissait entrer la brise et le cri des porteurs d'eau ; du fond de la prison pareille à une caverne, le Temple pâlement mauve se révélait à nous comme une Idée divine. Le riche Criton geignait, indigné que le Maître ne lui eût pas permis de tracer vers la fuite un chemin pavé d'or; Apollodore pleurait comme les enfants en reniflant ses larmes ; ma poitrine oppressée retenait ses soupirs ; Platon était absent. Simmias, un style à la main, notait à la hâte les dernières paroles de l'homme irréparable. Mais déjà les mots ne s'échappaient plus qu'à regret de cette bouche apaisée : sans doute, ce sage comprenait-il que la

seule raison d'être des allées du Discours, qu'il avait inlassablement par-
courues toute sa vie, est de mener jusqu'au bord du silence où bat le cœur
des Dieux. Il arrive toujours un moment
où l'on apprend à se taire, peut-être
parce qu'on est enfin devenu digne
d'écouter, où l'on cesse d'agir, parce
qu'on a appris à regarder fixement
quelque chose d'immobile, et cette
sagesse doit être celle des morts. J'étais
à genoux près du lit : mon Maître
posa la main sur ma chevelure flot-
tante. Je savais que son existence vouée
à un échec sublime tirait ses princi-
pales vertus des prestiges amoureux
qu'elle prétendait n'atteindre que pour
les dépasser. Puisque la chair est après
tout le plus beau vêtement dont
puisse s'envelopper l'âme, que serait
Socrate sans le sourire d'Alcibiade et
les cheveux de Phédon ? A ce vieillard
qui ne connaissait du monde que les

faubourgs d'Athènes, quelques doux corps aimés n'avaient pas seulement enseigné l'Absolu, mais aussi l'Univers. Ses mains un peu tremblantes se perdaient sur ma nuque comme dans une vallée où palpitait le printemps : devinant enfin que l'éternité n'est faite que d'une série d'instants dont chacun fut unique, il sentait fuir sous ses doigts la forme soyeuse et blonde de la vie éternelle. Le geôlier entra, portant la coupe pleine du suc fatal de la plante innocente ; mon maître la vida ; on lui enleva ses fers ; je massai doucement ses jambes congestionnées de fatigue, et sa dernière parole fut pour dire que la volupté est identique à sa sœur la douleur. Je pleurai à ce mot, qui justifiait ma vie. Quand il se fut couché, je l'aidai à se couvrir la face des plis de son vieux manteau. Je sentis pour la dernière fois peser sur mon visage le bon regard myope de ses gros yeux de chien triste. Ce fut alors, Cébès, qu'il nous ordonna de sacrifier un coq à la Médecine : il partit emportant le secret de cette malice suprême. Mais j'ai cru comprendre que cet homme fatigué d'un demi-siècle de sagesse voulait faire un bon somme avant de courir la chance de la Résurrection ; incertain de l'avenir, satisfait une fois pour toutes d'avoir été Socrate, il souhaitait tordre le cou au messager de l'éternel matin. Le soleil se coucha ; le gel gagna le cœur : se refroidir, c'est la vraie mort du Sage. Nous, les disciples, prêts à nous séparer pour ne jamais nous revoir, nous n'éprouvions les uns pour les autres que de l'indifférence, de l'ennui, de la rancune peut-être : nous n'étions déjà plus que les membres épars du Philosophe éteint. Tous développèrent rapidement les germes de mort que contenait leur vie : Alcibiade succomba sur le seuil de l'âge

mûr, percé des flèches du Temps ;
Simmias pourrit vivant sur le banc
d'une taverne, et le riche Criton mou-
rut d'apoplexie. Moi seul, devenu invisible à force de vitesse, je continue
à boucler autour de quelques tombes
mon immense parabole. Danser sur
la sagesse, c'est danser sur le sable.
La mer du mouvement emporte chaque
jour un coin de ce sol aride où ne naît
pas la vie. L'immobilité de la mort
ne peut être pour moi qu'un dernier
état de la vitesse suprême : la pression
du vide fera éclater mon cœur. Déjà,
ma danse dépasse les remparts des cités,
le terre-plein des Acropoles, et mon
corps tournoyant comme le fuseau des
Parques dévide sa propre mort. Mes
pieds couverts d'écume se posent encore
sur la crête sans cesse détruite des
vagues, mais mon front touche les
astres, et le vent des espaces m'arrache
les rares souvenirs qui m'empêchent

d'être nu. Socrate et Alcibiade ne sont plus que des noms, des chiffres, de vaines figures tracées sur le néant par le frôlement de mes pieds. L'ambition n'est qu'un leurre ; la sagesse se trompait ; le vice même a menti. Il n'y a ni vertu, ni pitié, ni amour, ni pudeur, ni leurs puissants contraires, mais rien qu'une coquille vide dansant au haut d'une joie qui est aussi la Douleur, un éclair de beauté dans un orage de formes. La chevelure de Phédon se détache sur la nuit de l'univers comme un météore triste.

L'amour est un châtiment. Nous sommes punis de n'avoir pas pu rester seuls.

Il faut aimer un être pour courir le risque d'en souffrir. Il faut t'aimer beaucoup pour rester capable de te souffrir.

Je ne puis m'empêcher de voir dans mon amour une forme raffinée de la débauche, un stratagème pour passer le temps, pour me passer du Temps. Le plaisir effectue en plein ciel un atterrissage forcé, dans le bruit de moteur fou des derniers soubresauts du cœur. En vol plané, la prière y monte ; l'âme y entraîne le corps dans l'assomption de l'amour. Pour qu'une assomption soit possible, il faut un Dieu. Tu as juste assez de beauté, d'aveuglement et d'exigences pour figurer un Tout-Puissant. J'ai fait de toi faute de mieux la clef de voûte de mon univers.

Tes cheveux, tes mains, ton sourire rappellent de loin quelqu'un que j'adore. Qui donc ? Toi-même.

*
* *

Deux heures du matin. Les rats rongent dans les poubelles les restes du jour mort : la ville appartient aux fantômes, aux assassins, aux somnambules. Où es-tu, dans quel lit, dans quel rêve ? Si je te rencontrais, tu passerais sans me voir, car nous ne sommes pas vus par nos songes. Je n'ai pas faim : je ne parviens pas ce soir à digérer ma vie. Je suis fatiguée : j'ai marché toute la nuit pour semer ton souvenir. Je n'ai pas sommeil : je n'ai même pas appétit de la mort. Assise sur un banc, abrutie malgré moi par l'approche du matin, je cesse de me rappeler que j'essaie de t'oublier. Je ferme les yeux... Les voleurs n'en veulent qu'à nos bagues, les amants qu'à la chair, les prédicateurs qu'à nos âmes, les assassins qu'à la vie. Ils peuvent me prendre

la mienne : je les défie d'y rien changer. Je renverse la tête pour sentir au-
dessus de moi le remuement des feuilles...
Je suis dans un bois, dans un champ...
C'est l'heure où le Temps se déguise en
balayeur et Dieu peut-être en chiffon-
nier. Lui l'avare, lui l'entêté, lui qui ne
consent pas à ce qu'une perle se perde
dans les tas d'écailles d'huîtres aux
portes des tavernes. Notre père qui
êtes au ciel... Verrai-je jamais venir
s'asseoir à côté de moi un vieil homme
en pardessus brun, les pieds boueux
d'avoir pour me rejoindre traversé Dieu
sait quel fleuve ? Il s'affalerait sur
le banc, tenant dans sa main fermée un
cadeau très précieux qui suffirait à
tout changer. Il ouvrirait les doigts
lentement, l'un après l'autre, très prudemment, parce que ça s'envole... Que
tiendrait-il ? Un oiseau, un germe, un
couteau, une clef pour ouvrir la boîte
de conserve du cœur?

*
* *

De l'esprit ? Dans la douleur ? Il y a bien du sel dans les larmes.

*
* *

Peur de rien ? J'ai peur de toi.

CLYTEMNESTRE
OU LE CRIME

Je vais vous expliquer, Messieurs les Juges... J'ai devant moi d'innombrables orbites d'yeux, des lignes circulaires de mains posées sur les genoux, de pieds nus posés sur la pierre, de pupilles fixes d'où coule le regard, de bouches closes où le silence mûrit un jugement. J'ai devant moi des assises de pierre. J'ai tué cet homme avec un couteau, dans une baignoire, avec l'aide de mon misérable amant qui ne

parvenait même pas à lui tenir les
pieds. Vous savez mon histoire : il n'est
pas un de vous qui ne l'ait répétée
vingt fois à la fin des longs repas, ac-
compagnée du bâillement des servantes, et pas une de vos femmes qui
n'ait une nuit de sa vie rêvé d'être Clytemnestre. Vos pensées criminelles, vos
envies inavouées roulent le long des
degrés et se déversent en moi, de sorte
qu'une espèce d'horrible va-et-vient
fait de vous ma conscience et de moi
votre cri. Vous êtes venus ici pour que
la scène du meurtre se répète sous vos
yeux un peu plus rapidement que dans
la réalité, car rappelés au foyer par le
souper du soir, vous pouvez tout au
plus dévouer quelques heures à m'entendre pleurer. Et dans ce court espace,
il faut encore que non seulement mes
actes mais aussi leurs motifs explosent
en pleine lumière, eux qui pour s'af-
firmer ont demandé quarante ans. J'ai

attendu cet homme avant qu'il n'eût un nom, un visage, lorsqu'il n'était encore que mon lointain malheur. J'ai cherché dans la foule des vivants cet être nécessaire à mes délices futures : je n'ai regardé les hommes que comme on dévisage les passants devant le guichet d'une gare, afin de bien s'assurer qu'ils ne sont pas ce qu'on attend. C'est pour lui que ma nourrice m'a emmaillottée au sortir de ma mère ; c'est pour tenir les comptes de son ménage d'homme riche que j'ai appris le calcul sur l'ardoise de l'école. Pour pavoiser la route où se poserait peut-être le pied de cet inconnu qui ferait de moi sa servante, j'ai tissé des draps et des étendards d'or ; à force d'application, j'ai laissé choir çà et là sur le tissu moelleux quelques gouttes de mon sang. Mes parents me l'ont choisi : et même enlevée par lui à l'insu de ma famille, j'eusse encore obéi au vœu

de mes père et mère, puisque nos
goûts viennent d'eux, et que l'homme
que nous aimons est toujours celui
qu'ont rêvé nos aïeules. Je l'ai laissé
sacrifier l'avenir de nos enfants à ses
ambitions d'homme : je n'ai même pas
pleuré quand ma fille en est morte.
J'ai consenti à me fondre dans son
destin comme un fruit dans une bouche,
pour ne lui apporter qu'une sensation
de douceur. Messieurs les Juges, vous
ne l'avez connu qu'épaissi par la gloire,
vieilli par dix ans de guerre, espèce
d'idole énorme usée par les caresses des
femmes asiatiques, éclaboussée par la
boue des tranchées. Moi seule, je l'ai
fréquenté à son époque de dieu. Il
m'était doux de lui apporter sur un
grand plateau de cuivre le verre d'eau
qui répandrait en lui ses réserves de
fraîcheur ; il m'était doux, dans la cuisine ardente, de préparer les mets qui
combleraient sa faim et le rempli-

raient de sang. Il m'était doux, alourdie par le poids de la semence humaine, de poser les mains sur mon ventre épais où levaient mes enfants. Le soir, au retour de la chasse, je me jetais avec joie contre sa poitrine d'or. Mais les hommes ne sont pas faits pour passer toute leur vie à se chauffer les mains au feu d'un même foyer : il est parti vers de nouvelles conquêtes, et il m'a laissée là comme une grande maison vide pleine du battement d'une inutile horloge. Le temps passé loin de lui coulait inemployé, goutte à goutte ou par flots, comme du sang perdu, me laissant chaque jour plus appauvrie d'avenir. Des permissionnaires ivres me racontaient sa vie dans les campements de l'arrière : l'armée d'Orient était infestée de femmes : des Juives de Salonique, des Arméniennes de Tiflis dont les yeux bleus sous de sombres paupières font penser à des sources au fond d'une grotte obscure, des Turques lourdes et douces comme ces pâtisseries où il entre du miel. Je recevais des lettres aux jours d'anniversaires ; ma vie se passait à épier sur la route le pas boiteux du facteur. Je luttais le jour contre l'angoisse, la nuit contre le désir, sans cesse contre le vide, cette forme lâche du malheur. Les années se suivaient le long des rues désertes comme une procession de veuves ; la place du village était noire de femmes en deuil. J'enviais ces malheureuses de n'avoir plus que la terre pour rivale, et de savoir au moins que leur homme couchait seul. Je surveillais à sa place les travaux des champs et les routes de la mer ; j'engrangeais les récoltes ; je faisais clouer la tête des brigands au poteau du marché ; je me servais de son fusil pour tirer les corneilles ; je battais les flancs de sa jument de chasse de mes guêtres de toile brune. Je me substituais peu à peu à l'homme qui me manquait et dont j'étais hantée. Je finissais par regarder du même œil que lui le cou blanc des servantes. Égisthe galopait à mes côtés dans les champs en friche ; son adolescence coïncidait avec mon temps de veuvage ; il était presque d'âge à rejoindre les hommes ; il me ramenait à l'époque des baisers échangés dans les bois avec les cousins au temps des grandes vacances. Je le regardais moins comme un amant que comme un enfant que m'aurait fait l'absence ; je payais ses notes de selliers et de marchands de chevaux. Infidèle à cet homme, je l'imitais encore : Égisthe n'était pour moi que l'équivalent des femmes asiatiques ou de l'ignoble Argynne. Messieurs les Juges, il n'y a qu'un homme au monde : le reste n'est pour chaque femme qu'une erreur ou qu'un pis-aller triste. Et l'adultère n'est souvent qu'une forme

désespérée de la fidélité. Si j'ai trompé
quelqu'un, c'est sûrement ce pauvre
Égisthe. J'avais besoin de lui pour
savoir jusqu'à quel point celui que
j'aimais était irremplaçable. Lasse de
le caresser, je montais partager sur la
tour l'insomnie du guetteur. Une nuit,
l'horizon de l'Est s'enflamma trois
heures avant l'aurore. Troie brûlait :
le vent venu d'Asie transportait sur la
mer des flammèches et des nuages
de cendre ; les feux de joie des sentinelles s'allumèrent sur les cimes : le
Mont Athos et l'Olympe, le Pinde et
l'Érymanthe flambaient comme des
bûchers ; la dernière langue de flamme
se posait en face de moi sur la petite
colline qui depuis vingt-cinq ans me
bouchait l'horizon. Je voyais le front
casqué du guetteur se pencher pour
recevoir le chuchotement des ondes :
quelque part sur la mer, un homme
chamarré d'or s'accoudait à la proue,

laissait chaque tour d'hélice rapprocher de lui sa femme et son foyer absent. En descendant de la tour, je me munis d'un couteau. Je voulais tuer Égisthe, faire laver le bois du lit et le pavement de la chambre, sortir du fond d'une malle la robe que je portais au moment du départ, supprimer enfin ces dix ans comme un simple zéro dans le total de mes jours. En passant devant la glace, je m'arrêtai pour sourire : soudain, je m'aperçus ; et cette vue me rappela que j'avais les cheveux gris. Messieurs les Juges, dix ans, c'est quelque chose : c'est plus long que la distance entre la ville de Troie et le château de My-cènes ; ce coin de passé est aussi bien plus haut que l'endroit où nous som-mes, car on ne peut que descendre et non remonter le Temps. C'est comme dans les cauchemars : chaque pas que nous faisons nous éloigne du but au lieu de le rapprocher. A la place de sa jeune femme, le roi trouverait sur le seuil une espèce de cuisinière obèse ; il la féliciterait du bon état des basses-cours et des caves : je ne pouvais plus m'attendre qu'à quelques froids baisers. Si j'en avais eu le cœur, je me serais tuée avant l'heure de son retour, pour ne pas lire sur son visage sa déception de me retrouver fanée. Mais je voulais au moins le revoir avant de mourir. Égisthe pleurait dans mon lit, effrayé comme un enfant coupable qui sent venir les punitions du père ; je m'approchai de lui ; je pris ma voix la plus doucement menteuse pour lui dire que rien ne transpirait de nos rendez-vous nocturnes, et que son oncle n'avait pas de raisons pour cesser de l'aimer. J'espérais au contraire qu'il savait déjà tout, et que la colère et le goût de la vengeance me rendaient ainsi une place dans sa pensée. Pour plus de sûreté, je fis joindre au courrier qu'on lui remet-

trait à bord une lettre anonyme exa-
gérant mes fautes : j'affilais le couteau qui devait m'ouvrir le cœur. Je
comptais que peut-être il se servirait
pour m'étrangler de ses deux mains si
souvent embrassées : je mourrais du
moins dans cette espèce d'étreinte. Le
jour vint où le bateau de guerre
s'amarra enfin dans le port de Nau-
plie au milieu d'un tapage de vivats et
de fanfares ; les talus couverts de pa-
vots rouges semblaient pavoisés par
ordre de l'été ; l'instituteur avait donné
un jour de congé aux enfants du village ; les cloches de l'église sonnaient.
J'attendais sur le seuil de la Porte des
Lionnes ; une ombrelle rose fardait
ma pâleur. Les roues de la voiture
grinçaient sur la pente raide ; les villageois s'attelèrent aux brancards pour
soulager les chevaux. Au détour du
chemin, je vis enfin le haut de la calèche
dépasser le sommet d'une haie vive, et

je m'aperçus que mon homme n'était pas seul. Il avait près de lui l'espèce de sorcière turque qu'il avait choisie pour sa part de butin, bien qu'elle fût peut-être un peu endommagée par les jeux des soldats. Elle était presque enfant ; elle avait de beaux yeux sombres dans un visage jaune tatoué de meurtrissures ; il lui caressait le bras pour l'empêcher de pleurer. Il l'aida à descendre de voiture ; il m'embrassa froidement, il me dit qu'il comptait sur ma générosité pour bien traiter cette jeune fille dont le père et la mère étaient morts ; il serra la main d'Égisthe. Lui aussi, il avait changé. Il marchait en soufflant ; son cou énorme et rouge débordait du col de sa chemise; sa barbe peinte en roux se perdait dans les plis de sa poitrine. Il était beau pourtant, mais beau comme un taureau au lieu de l'être comme un dieu. Il gravit avec nous les marches du vestibule que j'avais fait tendre en pourpre, comme le jour de mes noces, pour que mon sang ne s'y vît pas. Il me regardait à peine ; au dîner, il ne s'aperçut pas que j'avais fait préparer tous ses plats favoris ; il but deux verres, trois verres d'alcool ; l'enveloppe déchirée de la lettre anonyme sortait d'une de ses poches ; il clignait de l'œil du côté d'Égisthe ; il bredouilla au dessert des plaisanteries d'homme ivre sur les femmes qui se font consoler. La soirée interminablement longue se traîna sur la terrasse infestée de moustiques : il parlait turc avec sa compagne ; elle était, paraît-il, fille d'un chef de tribu ; à un mouvement qu'elle fit, je m'aperçus qu'elle portait un enfant. C'était peut-être à lui, ou à l'un des soldats qui l'avaient entraînée en riant hors du camp paternel, et chassée à coups de fouet du côté de nos tranchées. Il paraît qu'elle avait le don de deviner l'avenir : pour nous

distraire, elle nous lut dans la main.
Alors, elle pâlit, et ses dents claquèrent.
Moi aussi, Messieurs les Juges, je savais
l'avenir. Toutes les femmes le savent :
elles s'attendent toujours à ce que tout
finisse mal. Il avait l'habitude de prendre un bain chaud avant d'aller se
coucher. Je montai tout préparer : le
bruit de l'eau qui coulait me permettait de sangloter tout haut. Le bain était
chauffé au bois. Une hache qui servait à fendre les bûches traînait sur
le plancher ; je ne sais pourquoi, je la
dissimulai derrière le porte-serviettes.
Un instant, j'eus envie de tout disposer
pour un accident qui ne laisserait pas
de traces, de sorte que la lampe à
pétrole serait la seule inculpée. Mais je
voulais au moins l'obliger en mourant
à me regarder en face : je ne le tuais
que pour ça, pour le forcer à se rendre
compte que je n'étais pas une chose
sans importance qu'on peut laisser

tomber, ou céder au premier venu. J'appelai doucement Égisthe ; il devint livide dès que j'ouvris la bouche : je lui ordonnai de m'attendre sur le palier. L'autre montait lourdement les marches ; il ôta sa chemise ; sa peau dans l'eau chaude devint toute violette. Je lui savonnais la nuque : je tremblais si fort que le savon me glissait sans cesse des mains. Il suffoquait un peu ; il me commanda rudement d'ouvrir la fenêtre placée trop haut pour moi ; je criai à Égisthe de me venir en aide. Dès qu'il fut entré, je fermai la porte à clef. L'autre ne me vit pas, car il nous tournait le dos. Je frappai maladroitement un premier coup qui ne réussit qu'à entailler l'épaule ; il se leva tout droit ; son visage boursouflé se marbrait de taches noires ; il meuglait comme un bœuf ; Égisthe terrifié lui saisit les genoux, peut-être pour demander pardon. Il perdit l'équilibre sur le fond glissant de la baignoire, et tomba comme une masse, le visage dans l'eau, avec un gargouillement qui ressemblait à un râle. C'est alors que je lui portai le second coup, qui lui fendit le front. Mais je crois bien qu'il était déjà mort : ce n'était plus qu'une loque molle et chaude. On a parlé de flots rouges : en réalité, il a très peu saigné. J'ai versé plus de sang en accouchant de son fils. Après sa mort, nous avons tué sa maîtresse : c'était plus généreux, si elle l'aimait. Les villageois ont pris notre parti ; ils se sont tus. Mon fils était trop jeune pour donner libre cours à sa haine contre Égisthe. Quelques semaines ont passé : j'aurais dû me sentir calme, mais vous savez, Messieurs les Juges, qu'on n'en sort jamais, et que tout recommence. Je me suis remise à l'attendre : il est revenu. Ne secouez pas la tête : je vous dis qu'il est revenu. Lui, qui pendant dix ans ne s'est pas donné la peine de prendre un congé de huit jours pour revenir de Troie, il est revenu de la mort. J'avais eu beau lui couper les pieds pour l'empêcher de sortir du cimetière : ça ne l'empêchait pas de se faufiler chez moi, le soir, tenant ses pieds sous son bras comme les cambrioleurs transportent leurs souliers pour ne pas faire de bruit. Il me couvrait de son ombre ; il n'avait pas même l'air de s'apercevoir qu'Égisthe était là. Ensuite, mon fils m'a dénoncée au poste de police : mais mon fils, c'est encore son fantôme, c'est son spectre de chair. Je croyais qu'en prison je serais au moins tranquille ; mais il revient quand même : on dirait qu'il préfère mon cachot à sa tombe. Je sais que ma tête finira par tomber sur la place du village, et que celle d'Égisthe passera sous le même couteau. C'est drôle, Messieurs les Juges : on

dirait même que vous m'avez déjà
souvent jugée. Mais je suis payée pour
savoir que les morts ne restent pas en
repos : je me relèverai, traînant
Égisthe sur mes talons comme un
lévrier triste. J'irai la nuit le long des
routes à la recherche de la Justice de
Dieu. Je retrouverai cet homme dans
un coin de mon enfer : de nouveau, je
crierai de joie sous ses premiers baisers. Puis, il m'abandonnera : il ira
conquérir une province de la Mort.
Puisque le Temps, c'est le sang des
vivants, l'Éternité doit être du sang
d'ombre. Mon éternité à moi se perdra
à attendre son retour, de sorte que je
serai bientôt la plus blême des fantômes. Alors, il reviendra, pour me nar-
guer : il caressera devant moi sa jaune
sorcière turque habituée à jouer avec
les os des tombes. Que faire ? On ne
peut pourtant pas tuer un mort.

Cesser d'être aimée, c'est devenir invisible. Tu ne t'aperçois plus que j'ai un corps.

Entre la mort et nous, il n'y a parfois que l'épaisseur d'un seul être. Cet être enlevé, il n'y aurait que la mort.

Qu'il eût été fade d'être heureux !

J'ai dû chacun de mes goûts à l'influence d'amis de rencontre, comme si

je ne pouvais accepter le monde que
par l'entremise des mains humaines.
Je tiens d'Hyacinthe le goût des fleurs,
de Philippe le goût des voyages, de
Céleste le goût de la médecine, d'Alexis
le goût des dentelles. Pourquoi pas de
toi le goût de la mort ?

SAPPHO
OU LE SUICIDE

Je viens de voir au fond des miroirs d'une loge une femme qui s'appelle Sappho. Elle est pâle comme la neige, la mort, ou le visage clair des lépreuses. Et comme elle se farde pour cacher cette pâleur, elle a l'air du cadavre d'une femme assassinée, avec sur ses joues un peu de son propre sang. Ses yeux caves s'enfoncent pour échapper au jour, loin de leurs paupières arides qui ne les ombragent même plus. Ses longues boucles tombent par touffes, comme les feuilles des forêts sous les précoces tempêtes ; elle s'arrache chaque jour de nouveaux cheveux blancs, et ces fils de soie blême seront bientôt assez nombreux pour tisser son linceul. Elle pleure sa jeunesse comme une femme qui l'aurait trahie, son enfance comme une fillette qu'elle aurait perdue. Elle est maigre : à l'heure du bain, elle se détourne du miroir pour ne pas voir ses seins tristes. Elle erre de ville en ville avec trois grandes malles pleines de perles fausses et de débris d'oiseaux. Elle est acrobate comme aux temps antiques elle était poétesse, parce que la forme particulière de ses poumons l'oblige à choisir un métier qui s'exerce à mi-ciel. Chaque soir, livrée aux bêtes du Cirque qui la dévorent des yeux, elle tient dans un espace encombré de poulies et de mâts ses engagements d'étoile. Son corps collé au mur, haché menu par les lettres des affiches lumineuses, fait partie de ce groupe de fantômes en vogue qui planent sur les villes grises. Créature aimantée, trop ailée pour le sol, trop charnelle pour le ciel, ses pieds frottés de cire ont rompu le pacte qui nous joint à la terre ; la Mort agite sous elle les écharpes du vertige, sans jamais parvenir à lui brouiller les yeux. De loin, nue, pailletée d'astres, elle a l'air d'un athlète qui refuserait d'être ange pour ne pas enlever tout prix à ses sauts périlleux ; de près, drapée de longs peignoirs qui lui restituent ses ailes, on lui trouve l'air d'être déguisée en femme. Seule, elle sait que sa gorge contient un cœur trop pesant et trop gros pour loger ailleurs qu'au fond d'une poitrine élargie par des seins : ce poids caché au fond d'une cage d'os donne à chacun de ses élans dans le vide la saveur mortelle de l'insécurité. A demi dévorée par ce fauve implacable, elle tâche d'être en secret la dompteuse de son cœur. Elle est née dans une île, ce qui est déjà un commencement de solitude : puis, son métier est intervenu pour l'obliger chaque soir à une espèce d'isolement en hauteur ; couchée sur le tréteau de son destin d'étoile, exposée à demi nue à tous les vents du gouffre, elle souffre du manque de douceur comme d'un manque d'oreillers. Les hommes de sa vie n'ont été que des échelons qu'elle a escaladés non sans se salir les pieds. Le directeur, le joueur de trombone, l'agent de publicité l'ont dégoûtée des moustaches cirées, des cigares, des liqueurs, des cravates rayées, des portefeuilles de cuir, de tous les attributs extérieurs de la virilité qui font rêver les femmes. Le corps seul des jeunes filles serait assez doux, assez souple, assez fluide encore pour se laisser ma-

nier par les mains de ce grand ange qui
feindrait par jeu de les lâcher en plein
gouffre : elle ne réussit pas à les garder
longtemps dans cet espace abstrait li-
mité de tous côtés par la barre des tra-
pèzes : vite effrayées par cette géométrie
qui se change en coups d'ailes, toutes
ont bientôt renoncé à lui servir de compagnes de ciel. Elle doit redescendre à
terre pour se trouver de plain-pied
avec leur vie toute rapiécée de chiffons
qui ne sont pas même des langes, de
sorte que cette tendresse finit par
prendre l'aspect d'un congé du samedi,
d'un jour de permission passé par le
gabier en compagnie des filles. Étouf-
fant dans ces chambres qui ne sont
qu'une alcôve, elle ouvre sur le vide
la porte du désespoir, avec le geste d'un
homme obligé par l'amour à vivre chez
les poupées. Toutes les femmes aiment
une femme : elles s'aiment éperdument
elles-mêmes, leur propre corps étant

d'ordinaire la seule forme où elles con-
sentent à trouver de la beauté. Les
yeux perçants de Sappho regardent plus
loin, presbytes de la douleur. Elle
demande aux jeunes filles ce qu'attendent des glaces les coquettes occupées
à parer leur idole : un sourire qui
réponde à son tremblant sourire, jusqu'à ce que la buée des lèvres de plus
en plus voisines brouille le reflet et
réchauffe le cristal. Narcisse aime ce
qu'il est. Sappho dans ses compagnes
adore amèrement ce qu'elle n'a pas été.
Pauvre, chargée de ce mépris qui est
pour l'artiste le revers de la gloire,
n'ayant pour futur que les perspectives
du gouffre, elle caresse le bonheur sur
le corps de ses amies moins menacées.
Les voiles des communiantes qui
portent leur âme à l'extérieur d'elles-
mêmes lui font rêver d'une enfance
plus limpide que n'a été la sienne,
car à bout d'illusions on continue

pourtant à prêter à autrui une enfance sans péché. La pâleur des jeunes filles réveille en elle le souvenir presque incroyable de la virginité. Dans Gyrinno, elle a aimé l'orgueil, et s'est abaissée à lui baiser les pieds. L'amour d'Anactoria lui a révélé la saveur des beignets mangés à grosses bouchées dans les fêtes populaires, des chevaux de bois des équipées foraines, du foin des meules chatouillant la nuque de la belle fille couchée. Dans Attys, elle a aimé le malheur. Elle a rencontré Attys au fond d'une grande ville asphyxiée par l'haleine de ses foules et le brouillard de son fleuve ; sa bouche gardait l'odeur d'un bonbon au gingembre qu'elle venait de mâcher ; des traces de suie collaient à ses joues givrées de larmes ; elle courait sur un pont, vêtue de fausse loutre, chaussée de souliers percés ; son visage de jeune chèvre était plein d'une hagarde

douceur. Pour expliquer ses lèvres ser-
rées, pâles comme la cicatrice d'une
blessure, ses yeux pareils à des turquoises malades, Attys possédait au
fond de sa mémoire trois récits différents qui n'étaient après tout que trois
faces du même malheur : son ami, avec
lequel elle avait l'habitude de sortir le
dimanche, l'avait abandonnée parce
qu'un soir, dans un taxi, en rentrant
du théâtre, elle n'avait pas consenti à
se laisser caresser ; une jeune fille qui
lui prêtait un divan pour dormir dans
un coin de sa chambre d'étudiante
l'avait chassée en l'accusant fausse-
ment de vouloir lui prendre le cœur de
son fiancé ; enfin, son père la battait.
Elle avait peur de tout : des fantômes,
des hommes, du chiffre treize, et des
yeux verts des chats. La salle à manger
de l'hôtel l'éblouit comme un temple
où elle se croyait obligée de ne parler
qu'à voix basse ; la salle de bains lui

fit battre des mains. Sappho dépense
pour cette fantasque enfant le capital
accumulé de ses années de souplesse et
de témérité. Elle impose aux direc-
teurs de cirques cette médiocre artiste
qui ne sait que jongler avec des bouquets de fleurs. Elles tournent ensemble
le long des pistes et des tréteaux de
toutes les capitales, avec cette régula-
rité dans le changement qui est le
propre des artistes nomades et des
débauchés tristes. Chaque matin, dans
les chambres garnies où elles logent
pour éviter à Attys la promiscuité des
hôtels pleins de clients trop riches, elles
réparent leurs costumes de théâtre et
les mailles rompues de leurs étroits bas
de soie. A force de soigner cette enfant
maladive, d'écarter de son chemin les
hommes qui pourraient la tenter, le
morne amour de Sappho prend à son
insu une forme maternelle, comme si
quinze années de voluptés stériles

avaient abouti à lui faire cette enfant.
Les jeunes hommes en smoking ren-
contrés dans les couloirs des loges rappellent tous à Attys l'ami dont elle
regrette peut-être les baisers repoussés :
Sappho l'a si souvent entendue parler
du beau linge de Philippe, de ses bou-
tons de manchettes bleus, et de l'éta-
gère pleine d'albums licencieux qui
garnissait sa chambre de Chelsea,
qu'elle finit par avoir de cet homme
d'affaires correctement vêtu une image
aussi nette que des quelques amants
qu'elle n'a pu éviter d'introduire dans
sa vie : elle le range distraitement
parmi ses pires souvenirs. Les paupières
d'Attys prennent peu à peu des teintes
de violettes ; elle va chercher à la poste
restante des lettres qu'elle déchire après
les avoir lues ; elle paraît étrangement
renseignée sur les voyages d'affaires
qui pourraient obliger le jeune homme
à croiser par hasard leur route de noma-

des pauvres. Sappho souffre de ne pouvoir donner à Attys qu'un refuge en
retrait sur la vie, et de ce que la peur
seule de l'amour maintienne appuyée
contre sa forte épaule la petite tête
fragile. Cette femme amère de toutes
les larmes qu'elle a eu le courage de
ne jamais verser se rend compte qu'elle
ne peut offrir à ses amies qu'une cares-
sante détresse ; sa seule excuse est
de se dire que l'amour sous toutes ses
formes n'a rien de mieux à offrir aux
créatures tremblantes, et qu'Attys en
s'éloignant aurait peu de chances
d'aller vers plus de bonheur. Un soir,
Sappho rentre du cirque plus tard qu'à
l'ordinaire, chargée de brassées de bouquets qu'elle n'a ramassés que pour
fleurir Attys. La concierge fait sur son
passage une grimace différente de celle
de tous les jours ; la spirale de l'escalier ressemble soudain aux anneaux
d'un serpent. Sappho remarque que

la boîte de lait ne repose pas sur le paillasson à sa place habituelle ; dès l'antichambre, elle flaire l'odeur de l'eau de Cologne et du tabac blond. Elle constate dans la cuisine l'absence d'une Attys occupée à faire frire des tomates ; dans la salle de bains, le manque d'une jeune fille nue et jouant avec l'eau ; dans la chambre à coucher, l'enlèvement d'une Attys prête à se laisser bercer. Devant l'armoire à glace aux battants grands ouverts, elle pleure le linge disparu de la jeune fille aimée. Un bouton de manchette bleu tombé sur le plancher signe l'auteur de ce départ que Sappho s'obstine à ne pas croire éternel, de peur de ne pouvoir le supporter sans mourir. Elle recommence à piétiner seule sur la piste des villes, cherchant avidement à chaque rang de loges un visage que son délire préfère à tous les corps. Après quelques années, une de ses

tournées dans le Levant la ramène
à Smyrne; elle apprend que Philippe
y dirige maintenant une manufacture
de tabacs d'Orient; il vient de se
marier avec une femme imposante
et riche qui ne peut être Attys :
la jeune fille délaissée passe pour
s'être engagée dans une troupe de
danseuses. Sappho refait le tour des
hôtels du Levant dont chaque por-
tier a sa manière à lui d'être inso-
lent, impudent, ou servile; des lieux
de plaisir où l'odeur de sueur empoisonne les parfums, des bars où une
heure d'hébètement dans l'alcool et
la chaleur humaine ne laisse d'autre
trace que le rond d'un verre sur
une table de bois noir; elle fouille
jusqu'aux asiles de l'Armée du Salut
dans l'espoir toujours vain de retrouver
une Attys appauvrie et disposée à se
laisser aimer. A Stamboul, le hasard
l'attable chaque soir aux côtés d'un

jeune homme négligemment vêtu qui se donne pour employé d'une agence de voyages ; sa main un peu sale soutient paresseusement le fardeau de son front triste. Ils échangent ces quelques mots banals qui servent souvent entre deux êtres de passerelle à l'amour. Il dit se nommer Phaon, et se prétend fils d'une Grecque de Smyrne et d'un marin de la flotte britannique : le cœur de Sappho bat à entendre une fois de plus l'accent délicieux si souvent embrassé sur les lèvres d'Attys. Il a derrière lui des souvenirs de fuite, de misère et de dangers indépendants des guerres, et plus secrètement apparentés aux lois de son propre cœur. Il semble appartenir lui aussi à une race menacée, à qui une indulgence précaire et toujours provisoire permet de rester en vie. Ce garçon privé de permis de séjour a ses préoccupations bien à lui ; il est fraudeur, trafiquant de morphine,

agent peut-être de la police secrète ;
il vit dans un monde de conciliabules
et de mots de passe où Sappho n'entre
pas. Il n'a pas besoin de lui conter son
histoire pour établir entre eux une fraternité de malheur. Elle lui avoue ses
larmes ; elle s'attarde à lui parler d'Attys. Il croit l'avoir connue : il se souvient vaguement d'avoir vu dans un
cabaret de Péra une fille nue qui
jongle avec des fleurs. Il possède un
petit canot à voile qui lui sert le dimanche à se promener sur le Bosphore ;
ils cherchent ensemble dans tous les
cafés démodés qui bordent le rivage,
dans les restaurants des îles, dans les
pensions de famille de la côte d'Asie
où vivent modestement quelques étran-
gères pauvres. Assise à la poupe,
Sappho regarde vaciller à la lueur d'une
lanterne ce beau visage de jeune mâle
qui est maintenant son seul soleil
humain. Elle retrouve dans ses traits

certaines caractéristiques aimées jadis
dans la jeune fille en fuite : la même
bouche tuméfiée que semble avoir
piquée une mystérieuse abeille, le
même petit front dur sous des cheveux
différents et qui cette fois semblent
trempés dans le miel, les mêmes yeux
pareils à deux longues turquoises trou-
bles, mais enchâssés dans un visage
hâlé au lieu d'être livide, de sorte que
la blême jeune fille brune semble
n'avoir été qu'une simple cire perdue
de ce dieu de bronze et d'or. Sappho
étonnée se prend lentement à préférer
ces épaules rigides comme la barre du
trapèze, ces mains durcies par le contact des rames, tout ce corps où subsiste
juste assez de douceur féminine pour
le lui faire aimer. Couchée au fond de
la barque, elle s'abandonne aux pulsa-
tions nouvelles du flot que fend ce passeur. Elle ne lui parle plus d'Attys que
pour lui dire que la jeune fille égarée lui

ressemble en moins beau : Phaon accepte ces hommages avec une joie inquiète et mêlée d'ironie. Elle déchire
devant lui une lettre par laquelle Attys
lui annonce son retour, et dont elle n'a
même pas pris la peine de déchiffrer
l'adresse. Il la regarde faire avec un
mince sourire sur ses lèvres qui trem-
blent. Pour la première fois, elle né-
glige les disciplines de son métier sé-
vère ; elle interrompt ses exercices
qui mettaient chaque muscle sous le
contrôle de l'âme ; ils dînent ensemble ;
chose inouïe pour elle, elle mange un
peu trop. Elle n'a plus que quelques
jours à rester avec lui dans cette ville
d'où la chassent ses contrats qui l'obli-
gent à planer dans d'autres ciels. Il
consent enfin à passer avec elle cette
dernière soirée dans le petit apparte-
ment qu'elle occupe près du port. Elle
regarde aller et venir dans la pièce
encombrée cet être pareil à une voix

où les notes claires se mêlent aux notes profondes. Incertain de ses gestes comme s'il craignait de briser une illusion fragile, Phaon se penche avec curiosité vers les portraits d'Attys. Sappho s'assied sur le divan viennois couvert de broderies turques ; elle presse son visage entre ses mains comme si elle s'efforçait d'en effacer les traces de ses souvenirs. Cette femme qui jusqu'ici prenait sur elle le choix, l'offre, la séduction, la protection de ses amies plus frêles, se détend et sombre enfin, mollement abandonnée au poids de son propre sexe et de son propre cœur, heureuse de n'avoir plus à faire désormais auprès d'un amant que le geste d'accepter. Elle écoute le jeune homme rôder dans la chambre voisine, où la blancheur d'un lit s'étale comme un espoir resté malgré tout merveilleusement ouvert ; elle l'entend déboucher des flacons sur la table de toilette, fouiller dans les tiroirs avec une sûreté de cambrioleur ou d'ami de cœur qui se croit tout permis, ouvrir enfin les deux battants de l'armoire où ses robes pendent comme des suicidées, mêlées aux quelques falbalas qui lui restent d'Attys. Soudain, un bruit soyeux pareil au frisson des fantômes approche comme une caresse qui pourrait faire crier. Elle se lève, se retourne : l'être aimé s'est enveloppé d'un peignoir qu'Attys a laissé derrière elle au moment du départ : la mousseline portée sur la chair nue accuse la grâce quasi féminine des longues jambes de danseur ; débarrassé des stricts vêtements d'homme, ce corps flexible et lisse est presque un corps de femme. Ce Phaon à l'aise dans le travesti n'est plus qu'un substitut de la belle nymphe absente ; c'est une jeune fille encore qui vient à elle avec un rire de source. Sappho éperdue court nu-tête vers la

porte, fuit ce spectre de chair qui ne
pourra lui donner que les mêmes tristes
baisers. Elle descend en courant les rues
semées de débris et d'ordures qui con-
duisent à la mer, fonce dans la houle
des corps. Elle sait que nulle rencontre
ne contient son salut, puisqu'elle ne
peut où qu'elle aille que retrouver
Attys. Ce visage démesuré lui bouche
toutes les issues qui ne donnent pas
sur la mort. Le soir tombe pareil à une
fatigue qui brouillerait sa mémoire ;
un peu de sang persiste du côté du
couchant. Tout à coup, des cymbales
retentissent comme si la fièvre les entre-
choquait dans son cœur : à son insu,
une longue habitude l'a ramenée vers
le Cirque à l'heure où elle lutte chaque
soir avec l'ange du vertige. Une dernière fois, elle se grise de cette odeur
de fauve qui fut celle de sa vie, de
cette musique énorme et désaccordée
comme l'est celle de l'amour. Une

habilleuse ouvre à Sappho sa loge de condamnée à mort : elle se dénude comme pour s'offrir à Dieu ; elle se frotte d'un blanc gras qui déjà la transforme en fantôme ; elle attache à la hâte autour de son cou le collier d'un souvenir. Un huissier vêtu de noir vient l'avertir que son heure a sonné : elle grimpe l'échelle de corde de son gibet céleste : elle fuit en hauteur la dérision d'avoir pu croire qu'un jeune homme existait. Elle s'arrache au boniment des marchands d'orangeade, aux rires déchirants des petits enfants roses, aux jupons de danseuses, aux mille mailles des filets humains. Elle se hisse d'un coup de rein sur le seul point d'appui auquel consente son amour du suicide: la barre du trapèze balancée en plein vide change en oiseau cet être fatigué de n'être qu'à demi femme ; elle flotte, alcyon de son propre gouffre, suspendue par un pied sous les yeux du

public qui ne croit pas au malheur. Son
adresse la dessert : en dépit de ses
efforts, elle ne parvient pas à perdre
l'équilibre : louche écuyer, la Mort la
remet en selle sur le prochain trapèze.
Elle monte enfin plus haut que la ré-
gion des lampes : les spectateurs ne
peuvent plus l'applaudir, puisqu'ils ne
la voient plus. Accrochée au cordage
qui manœuvre la voûte tatouée
d'étoiles peintes, sa seule ressource pour
se dépasser encore est de crever son
ciel. Le vent du vertige fait grincer
sous elle les cordes, les poulies, les
cabestans de son destin désormais sur-
monté ; l'espace oscille et tangue comme en mer, par temps de bise, le
firmament plein d'astres bascule entre
les vergues des mâts. La musique là-
bas n'est plus qu'une grande vague
lisse qui lave tous les souvenirs. Ses
yeux ne distinguent plus les feux rouges
des feux verts ; les projecteurs bleus

qui balaient la foule noire font briller
çà et là des épaules nues de femmes
pareilles à de doux rochers. Sappho
cramponnée à sa mort comme à un
promontoire, choisit pour tomber l'endroit où les mailles du filet ne la retien-
dront pas. Car son sort d'acrobate
n'occupe qu'une moitié de l'immense
cirque vague : dans l'autre partie de
l'arène où les jeux de phoques des
clowns se poursuivent sur le sable,
rien n'est préparé pour l'empêcher de
mourir. Sappho plonge, les bras
ouverts comme pour embrasser la moitié de l'infini, ne laissant derrière soi
que le balancement d'une corde pour
preuve de son départ du ciel. Mais ceux
qui manquent leur vie courent aussi le
risque de rater leur suicide. Sa chute
oblique se heurte à une lampe pareille
à une grosse méduse bleue. Étourdie,
mais intacte, le choc rejette l'inutile
suicidée vers les filets où se prennent et

se déprennent des écumes de lumière ;
les mailles ploient sans céder sous le
poids de cette statue repêchée des profondeurs du ciel. Et bientôt les ma-
nœuvres n'auront plus qu'à haler sur
le sable ce corps de marbre pâle, ruis-
selant de sueur comme une noyée
d'eau de mer.

Je ne me tuerai pas. On oublie si vite les morts.

On ne bâtit un bonheur que sur un fondement de désespoir. Je crois que je vais pouvoir me mettre à construire.

Qu'on n'accuse personne de ma vie.

Il ne s'agit pas d'un suicide. Il ne s'agit que de battre un record.

TABLE

ŒUVRES DE
MARGUERITE YOURCENAR

Romans et Nouvelles

ALEXIS OU LE TRAITÉ DU VAIN COMBAT. – LE COUP
DE GRÂCE (Gallimard, 1971).

DENIER DU RÊVE (Gallimard, 1971).

NOUVELLES ORIENTALES (Gallimard, 1963).

MÉMOIRES D'HADRIEN (édition illustrée, Gallimard, 1971 ; édition
courante, Gallimard, 1974).

L'ŒUVRE AU NOIR (Gallimard, 1968).

ANNA, SOROR... (Gallimard, 1981).

COMME L'EAU QUI COULE *(Anna, soror... – Un homme obscur – Une
belle matinée)* (Gallimard, 1982).

UN HOMME OBSCUR – UNE BELLE MATINÉE (Gallimard,
1985).

Essais et Mémoires

LES SONGES ET LES SORTS (Gallimard, édition définitive, *en
préparation*).

SOUS BÉNÉFICE D'INVENTAIRE (Gallimard, 1962 ; édition définitive, 1978).

LE LABYRINTHE DU MONDE, I : SOUVENIRS PIEUX
(Gallimard, 1974).

LE LABYRINTHE DU MONDE, II : ARCHIVES DU NORD
(Gallimard, 1977).

LE LABYRINTHE DU MONDE, III : QUOI ? L'ÉTERNITÉ...
(Gallimard, 1988).

MISHIMA OU LA VISION DU VIDE (Gallimard, 1981).

LE TEMPS, CE GRAND SCULPTEUR (Gallimard, 1983).

EN PÈLERIN ET EN ÉTRANGER (Gallimard, 1989).

LE TOUR DE LA PRISON (Gallimard, 1991).

*

DISCOURS DE RÉCEPTION DE MARGUERITE YOURCE-
NAR à l'Académie Royale belge de Langue et de Littérature françaises,
précédé du discours de bienvenue de CARLO BRONNE (Gallimard,
1971).

DISCOURS DE RÉCEPTION À L'ACADÉMIE FRANÇAISE
DE Mme M. YOURCENAR et RÉPONSE de M. J. D'ORMES-
SON (Gallimard, 1981).

Théâtre

THÉÂTRE I : RENDRE À CÉSAR. – LA PETITE SIRÈNE. –
LE DIALOGUE DANS LE MARÉCAGE (Gallimard, 1971).

THÉÂTRE II : ÉLECTRE OU LA CHUTE DES MASQUES. –
LE MYSTÈRE D'ALCESTE. – QUI N'A PAS SON MINO-
TAURE ? (Gallimard, 1971).

Poèmes et Poèmes en prose

FEUX (Gallimard, 1974).

LES CHARITÉS D'ALCIPPE, nouvelle édition (Gallimard, 1984).

Traductions

Virginia Woolf : LES VAGUES (Stock, 1937).

Henry James : CE QUE SAVAIT MAISIE (Laffont, 1947).

PRÉSENTATION CRITIQUE DE CONSTANTIN CAVAFY,
suivie d'une traduction intégrale des POÈMES par M. Yourcenar et
C. Dimaras (Gallimard, 1958).

FLEUVE PROFOND, SOMBRE RIVIÈRE, « Negro Spirituals »,
commentaires et traductions (Gallimard, 1964).

PRÉSENTATION CRITIQUE D'HORTENSE FLEXNER, suivie d'un choix de POÈMES (Gallimard, 1969).

LA COURONNE ET LA LYRE, présentation critique et traductions
d'un choix de poètes grecs (Gallimard, 1979).

James Baldwin : LE COIN DES « AMEN » (Gallimard, 1983).

Yukio Mishima : CINQ NÔ MODERNES (Gallimard, 1984).

BLUES ET GOSPELS, textes traduits et présentés par Marguerite Yourcenar, images réunies par Jerry Wilson (Gallimard, 1984).

LA VOIX DES CHOSES, textes recueillis par Marguerite Yourcenar, photographies de Jerry Wilson (Gallimard, 1987).

Collection « Biblos »

SOUVENIRS PIEUX – ARCHIVES DU NORD – QUOI? L'ÉTERNITÉ (LE LABYRINTHE DU MONDE, I, II, III).

Collection « La Pléiade »

ŒUVRES ROMANESQUES : ALEXIS OU LE TRAITÉ DU VAIN COMBAT – LE COUP DE GRÂCE – DENIER DU RÊVE – MÉMOIRES D'HADRIEN – L'ŒUVRE AU NOIR – ANNA, SOROR... – UN HOMME OBSCUR – UNE BELLE MATINÉE – FEUX – NOUVELLES ORIENTALES – LA NOUVELLE EURYDICE (Gallimard, 1982).

ESSAIS ET MÉMOIRES : ESSAIS : ESSAIS – SOUS BÉNÉ-FICE D'INVENTAIRE – MISHIMA OU LA VISION DU VIDE – LE TEMPS, CE GRAND SCULPTEUR – EN PÈLE-RIN ET EN ÉTRANGER – LE TOUR DE LA PRISON – MÉMOIRES : LE LABYRINTHE DU MONDE (SOUVE-NIRS PIEUX, ARCHIVES DU NORD, QUOI? L'ÉTER-NITÉ) – « TEXTES OUBLIÉS » : PINDARE – LES SONGES ET LES SORTS – DOSSIER DES SONGES ET LES SORTS – ARTICLES NON RECUEILLIS : DIAGNOSTIC DE L'EUROPE – LA SYMPHONIE HÉROÏQUE – ESSAI DE GÉNÉALOGIE DU SAINT – LE CHERCHEUR D'OR (Gallimard, 1991).

Collection « Folio »

ALEXIS OU LE TRAITÉ DU VAIN COMBAT, suivi de LE COUP DE GRÂCE.

MÉMOIRES D'HADRIEN.

L'ŒUVRE AU NOIR

SOUVENIRS PIEUX (LE LABYRINTHE DU MONDE, I).

ARCHIVES DU NORD (LE LABYRINTHE DU MONDE, II).

QUOI ? L'ÉTERNITÉ (LE LABYRINTHE DU MONDE, III).
ANNA, SOROR.

Collection « Folio essais »

SOUS BÉNÉFICE D'INVENTAIRE, *n° 110.*
LE TEMPS, CE GRAND SCULPTEUR, *n° 175.*

Collection « L'Imaginaire »

NOUVELLES ORIENTALES.
DENIER DU RÊVE.

Collection « Le Manteau d'Arlequin »

LE DIALOGUE DANS LE MARÉCAGE.

Collection « Poésie/Gallimard »

FLEUVE PROFOND, SOMBRE RIVIÈRE, « Negro Spirituals »,
commentaires et traductions.
PRÉSENTATION CRITIQUE DE CONSTANTIN CAVAFY,
suivie d'une traduction intégrale des POÈMES par M. Yourcenar et
C. Dimaras.
LA COURONNE ET LA LYRE.

Collection « Enfantimages »

NOTRE-DAME DES HIRONDELLES, avec illustrations de Georges
Lemoine.

Collection « Folio Cadet »

COMMENT WANG-FÔ FUT SAUVÉ, texte abrégé par l'auteur
avec illustrations de Georges Lemoine.

Album Jeunesse

LE CHEVAL NOIR À TÊTE BLANCHE, présentation et traduction
de contes d'enfants indiens. Illustration collective.

L'IMAGINAIRE

GALLIMARD

Volumes parus

Ouvrage reproduit
par procédé photomécanique.
Impression S.E.P.C.
à Saint-Amand (Cher), le 24 juin 1993.
Dépôt légal : juin 1993.
Premier dépôt légal : avril 1993.
Numéro d'imprimeur : 1614.
ISBN 2-07-073312-2./Imprimé en France.